Roland Seiler

Spurensuche in der Provence

Autor

Roland Seiler wurde 1946 in Bönigen im Berner Oberland geboren.

Nach einer Lehre als Vermessungszeichner und dem Ingenieurstudium an der Fachhochschule in Basel war er zuerst in der Verwaltung, dann rund 25 Jahre als Verbandsfunktionär tätig.

Während 16 Jahren vertrat er die Sozialdemokratische Partei im Grossen Rat des Kantons Bern.

Seit 1972 ist er verheiratet und hat zwei erwachsene Kinder. Heute lebt er zusammen mit seiner Frau in Interlaken und in Cucuron (Provence).

Buch

Suzanne zweifelt an der Unfalltheorie der französischen Polizei beim Tod ihres Vaters, dem ehemaligen bernischen Beamten Robert Schneider. Sie zieht deshalb nach Marseille, wo sie auf gravierende Unstimmigkeiten stösst, welche ihren schrecklichen Verdacht erhärten.

Um ihren Lebensunterhalt zu bestreiten, berichtet Suzanne als freie Journalistin für eine Schweizer Zeitung über Aktuelles und Interessantes, über Orte und Menschen aus der Provence.

Dabei stösst sie auf das Leben von zwei hundertjährigen Männern, deren Wege sich vor, während und nach dem Zweiten Weltkrieg mehrmals gekreuzt haben und deren Geschichte in einem Drama endet.

Roland Seiler

Spurensuche in der Provence

Roman

© 2020 Roland Seiler

Korrektorat: Madeleine Howald
Gegenlesen: Hansjörg Dietiker und Irène Seiler

Umschlagfoto: Adobe Stock

Herstellung und Verlag:
BoD – Books on Demand, Norderstedt

ISBN 978-3-7519-6878-2

Auch des Menschen Tun
Ist eine Aussaat von Verhängnissen,
Gestreuet in der Zukunft dunkles Land,
Den Schicksalsmächten hoffend übergeben.
Friedrich von Schiller
(Wallenstein, 2. Akt, 6. Auftritt)

Prolog

Schon wieder klingelte es an seiner Türe.

Seit dem Bericht in der Lokalzeitung *Nice-Matin* kam er nicht mehr zur Ruhe. Er genoss die grosse Aufmerksamkeit, die ihm zuteilwurde, mit gemischten Gefühlen. Der ganzseitige Artikel über seine Heldentaten als Widerstandskämpfer bei der *Résistance* war mit mehreren Fotos ergänzt gewesen, die ihn zusammen mit seinen Mitstreiterinnen und Mitstreitern im *Maquis* zeigten.

Mühsam erhob er sich vom Sofa, auf dem er sich eine kurze Ruhepause erlaubt hatte, nahm den Gehstock und humpelte zur Haustüre.

«Endlich habe ich dich gefunden, du Schwein!», fauchte ihn der unerwartete Besucher wütend an.

«Was wollen Sie? Wer sind Sie?»

Zu spät sah er den Revolver. Er hörte die Schüsse, aber es dauerte einen Moment, bis er sich bewusst wurde, dass er getroffen worden war. Wie Faustschläge empfand er den Schmerz. Im Fallen entdeckte er, dass dem Schützen an der linken Hand zwei Finger fehlten.

«Du?», röchelte er.

«Du kennst den Schützen, suche keinen andern!»

Seelenruhig steckte der Mörder seine Waffe wieder ein,

öffnete die Klinge seines Taschenmessers und ritzte seinem Opfer ein Zeichen auf die Stirne.

Dann trat er in das Haus des Sterbenden, nahm das Telefon, das auf der Kommode im Flur stand, und rief die Gendarmerie an, um seine Tat zu melden.

1

Montredon La Madrague, Juni 2019

«*Kam frikë!* – ich habe Angst», flüsterte – nein: hauchte er ins rechte Ohr der nackten Frau, die neben ihm im Bett lag.

«Wovor hast du Angst?»

«Wenn dein Verdacht berechtigt ist, bist du in Gefahr! Wenn dein Vater tatsächlich umgebracht worden ist, dann werden die Täter auch nach dir trachten, sobald sie merken, dass du der Sache nachgehst!»

«Du brauchst um mich keine Angst zu haben – ich werde vorsichtig vorgehen.»

«Lass die Finger davon – deinem Vater nützen deine Nachforschungen nichts mehr.»

Suzanne hatte Besim vor zwei Wochen kennengelernt.

Sie hatte Madame Fortin, der redseligen Metzgersfrau anvertraut, sie habe sich entschlossen, ihre Zelte in der Schweiz abzubrechen und nach Montredon La Madrague zu ziehen, um das Haus ihres vor einem halben Jahr verstorbenen Vaters am *Boulevard de la Grotte Rolland* zu beziehen.

Als erstes müsse sie den vernachlässigten Garten wieder in Ordnung bringen und suche dafür eine Hilfskraft.

«Das wäre etwas für den jungen Kosovaren, der manchmal meinem Mann hilft. Soll ich ihn fragen?»

«Das wäre nett. Aber versprechen Sie ihm nichts, ich will ihn zuerst kennenlernen.»

Noch am gleichen Abend war Besim vor ihrer Türe gestanden und hatte erklärt, er würde sie gerne bei den Gartenarbeiten unterstützen.

«Ich poche nicht unbedingt auf den SMIC-Lohn», hatte er ihr treuherzig angedeutet.

«Wir können es ja versuchen», hatte Suzanne eingewilligt, obwohl sie keine Ahnung hatte, was der SMIC-Lohn war. Sie hatten sich für den kommenden Morgen verabredet, ohne die näheren Bedingungen seines Einsatzes zu besprechen.

Im Internet hatte sie dann herausgefunden, dass es sich beim SMIC um den staatlich festgelegten minimalen Stundenlohn *Salaire minimum de croissance* handelte, den die Regierung per 1. Januar 2019 auf 10,03 Euro erhöht hatte.

Zwei Wochen später machte der Garten nicht nur einen gepflegten Eindruck, sondern wies neu sogar einen kleinen Sitzplatz auf, der zum Verweilen einlud.
Besim hatte sich als freundliche, zuvorkommende, anpackende und zuverlässige Hilfskraft erwiesen.

Zum Abschluss der Arbeiten hatte Suzanne ihn zum Nachtessen ins Restaurant *Au Bord de l'Eau* eingeladen.

Zum *Tartare de saumon et saint-jacques* hatten sie weissen Cassis und zum *Magret de canard à l'orange* einen roten Bandol getrunken. Dazu unterhielten sie sich über Gott und die Welt.

Besim schilderte seine traumatischen Erlebnisse während des Kosovokrieges und die 1998 erfolgte Flucht zusammen mit seinen Eltern und Geschwistern.

Beim *Crottin de Chavignol*, dem Ziegenkäse mit dem dezenten, aber charakteristischen säuerlichen Nussaroma, hatte Suzanne über den Tod ihres Vaters berichtet und über ihre Zweifel an der offiziellen Unfallversion.

Weil Besim seinen Rucksack bei ihr zurückgelassen hatte, waren sie nach dem Essen zusammen nach Hause geschlendert und als er sie geküsst hatte, war ihr klar geworden, wie der Abend enden würde.

Ohne Licht zu machen, war sie voraus in ihr Schlafzimmer gegangen, hatte ihm sein T-Shirt ausgezogen und sich von ihm entkleiden lassen.

Er hatte sich als einfühlsamer Liebhaber entpuppt und sie hatte es hemmungslos genossen.

2

Montredon La Madrague, Juni 2019

Sie waren beide eingeschlafen und erst nach ein oder
zwei Stunden wieder aufgewacht, um sich ein zweites
Mal zu lieben – jetzt aber nicht mehr scheu und suchend,
sondern wild und ausgelassen.

Im Morgengrauen gab sie ihm zu verstehen, dass sie
nun allein sein möchte. Besim erhob sich ohne Wider-
rede, zog seine im ganzen Schlafzimmer verstreuten
Kleider an und verabschiedete sich mit einem letzten
feurigen Kuss.

Suzanne war sofort wieder eingeschlafen und erst erwacht, als ihr gegen zehn Uhr die Sonne ins Gesicht
schien.

«Was ist nur in mich gefahren? Wie konnte ich mich mit
einem mir fast unbekannten, zwanzig Jahre jüngeren
Mann derart gehen lassen? Wie soll das weitergehen?»,
diese und ähnliche Fragen schwirrten in ihrem Kopf
herum.

Sie wurde sich bewusst, dass sie keinen Sex mehr gehabt hatte seit der unverhofften Trennung von Jürg, der
sie ohne Vorwarnung und ohne Erklärung sozusagen bei
Nacht und Nebel verlassen und sich wahrscheinlich ins
Ausland abgesetzt hatte.

Natürlich hatte sie beim Nachtessen etwas gar viel

Alkohol getrunken, aber sie konnte sich nicht daran erinnern, in ihrem Leben je in einer solchen Situation alle Hemmungen verloren zu haben.

«Nun, das war eine tolle Nacht und ich will mich nicht mit Gewissensbissen quälen. Aber das war ein einmaliges Abenteuer und ich muss Besim erklären, dass er sich keinerlei Hoffnungen machen darf», murmelte Suzanne vor sich hin, um sich selbst von ihrem Entschluss zu überzeugen.

Sie stand auf, zog die Bettwäsche ab und warf diese in die Waschmaschine. Dann stellte sie sich unter die Dusche und zog schliesslich neue Kleider an, so als wollte sie das Ende des noch frischen Kapitels ein für alle Mal besiegeln.

Als ihr Smartphone klingelte, befürchtete sie, Besim könnte anrufen.

«Hallo», meldete sich Suzanne, wie das in Frankreich üblich ist.

«Ist Suzanne am Apparat?», fragte ihre Tante Annemarie. «Ich habe schon befürchtet, dich nicht zu erreichen.»

«Annemarie. Das ist aber eine Überraschung!»

«Wo bist Du?»

«In Marseille. Warum rufst du an?»

«Ich wollte dich einladen, um am Fest zum hundertsten Geburtstag deines Grossvaters teilzunehmen – du könntest ein paar Tage bei uns in Interlaken wohnen.»

Spontan nahm Suzanne die Einladung an, die gerade im richtigen Zeitpunkt daherkam. Auf diese Weise konnte sie etwas Abstand zur Affäre mit Besim gewinnen und sie hatte so oder so vorgehabt, demnächst in die Schweiz zu reisen, um ein paar Dinge zu erledigen.

Suzanne war bei Tante Annemarie und Onkel Erwin, dem Bruder ihres Vaters, in Interlaken aufgewachsen, nachdem ihre Mutter bei einem Bergunfall gestorben war, als Suzanne noch in den Windeln lag.

Bevor sie über ihre wahre Herkunft aufgeklärt worden war, hatte sie die beiden für ihre Eltern und deren Sohn Rolf für ihren Bruder gehalten. In Annemaries Eltern, die in Ringgenberg gewohnt hatten und die Susanne während ihrer Kindheit und auch später häufig und gerne besucht hatte, sah sie immer noch ihre Grosseltern.

3

Marseille, November 2018

Suzanne war damals sofort klar gewesen, dass etwas mit ihrem Vater passiert sein musste, als die Gendarmerie aus Marseille angerufen hatte.

Robert Schneider sei mit seinem Auto tödlich verunfallt, hatte ihr die Polizistin ohne Umschweife mitgeteilt. Sie solle so bald als möglich nach Marseille kommen.

Tags darauf hatte sie um 06.34 Uhr in Bern den Zug Richtung Genf bestiegen und war um 12.18 Uhr am Bahnhof *Marseille-Saint-Charles* angekommen, von wo aus sie sich mit dem Taxi zur *Gendarmerie Nationale* an der *Avenue de la Timone* fahren liess.

Erst nach einer halben Stunde wurde sie von einem jungen Gendarmen empfangen, der ihr erklärte, ihr Vater habe wahrscheinlich in einer Kurve die Herrschaft über seinen Wagen verloren und sei ins Meer gestürzt.

Fatalerweise sei der Fahrer nicht angeschnallt und mit grosser Sicherheit sofort tot gewesen.

Die Blutprobe habe eine Alkoholkonzentration von 2,2 Promille ergeben.

«Ce n'est pas possible», versuchte Suzanne dem Polizisten klarzumachen. Ihr Vater habe nur selten Alkohol getrunken und wenn, dann nur in kleinen Mengen. Ab und zu

mal ein Bier oder zum Essen ein Glas Wein, aber ganz sicher nicht die Menge, die für 2,2 Promille nötig wäre.

Der Beamte hörte ihr ungeduldig zu, zuckte mit den Achseln und händigte ihr Kopien des Polizeirapports und des Ergebnisses der Blutprobe aus.

Schliesslich wurde ihr gegen Quittung ein Plastiksack mit den Gegenständen überreicht, die beim Toten gefunden worden waren: eine Brieftasche mit etwas Geld und verschiedenen Ausweisen, ein Schlüsseletui sowie das Mobiltelefon, das sie ihrem Vater vor einiger Zeit aufgeschwatzt hatte.

Anschliessend wurde Suzanne ins Leichenschauhaus begleitet, wo sie ihren Vater zu identifizieren hatte.

Bevor der Beamte, der Suzanne an einen Schlächter erinnerte, den Kopf der Leiche aufdeckte, wies er darauf hin, Monsieur Schneider habe beim Sturz mehrere Knochenbrüche und eine Gesichtsverletzung erlitten.

Tatsächlich war das Gesicht übel zugerichtet. Trotzdem bestand nicht der geringste Zweifel. Suzanne, die zu ihrem eigenen Erstaunen weder schockiert war noch in Tränen ausbrach, nickte zustimmend.

Dann wurde sie in einen Nebenraum gebeten, um die notwendigen Formalitäten zu erledigen. Sorgfältig las sie das Dokument durch, das sie unterschreiben sollte. Eigentlich konnte sie sich recht gut in der französischen Sprache unterhalten, aber die Amtssprache des Papiers bereitete ihr erhebliche Schwierigkeiten.

Mehrmals musste sie nachfragen und sich den Inhalt erläutern lassen. Zum Glück hatte sie auf ihrem Smartphone die App mit dem LEO-Wörterbuch installiert.

Bei der Frage *Peut-on renoncer à une autopsie?* musste sie nachsehen, was *renoncer* hiess und verstand, dass sie zu entscheiden hatte, ob sie auf eine Autopsie verzichten wolle.

Nach kurzem Überlegen machte Suzanne ein Kreuz im Kästchen bei NON.

«Warum verlangen Sie eine Autopsie?», wollte der unsympathische Beamte wissen. «Der Fall ist doch klar. Was versprechen Sie sich davon?»

«Ich kann einfach nicht glauben, dass mein Vater sich derart betrunken hat, und erst recht nicht, dass er sich in einem solchen Zustand ans Steuer gesetzt haben soll. Irgendetwas stimmt da nicht. Ich möchte wissen, was in seinem Magen gefunden wird, was er genau zu sich genommen hat.»

«Nun gut, das ist Ihr Recht, aber wie gesagt, zu viel sollten Sie davon nicht erwarten.»

4

Montredon La Madrague, November 2018

Wie Suzanne vermutet hatte, hing der Schlüssel zum Häuschen am *Boulevard de la Grotte Rolland* in Montredon La Madrague am Schlüsselbund, den sie von der Polizei ausgehändigt bekommen hatte.

Sie öffnete die Haustüre und erschrak ob der unbeschreiblichen Unordnung. Die Schranktüren standen offen, die Schubladen waren herausgerissen, Kleider, Wäsche und Schuhe ihres Vaters lagen verstreut auf dem Boden, dazu überall Papier.

Sie stellte einen umgeworfenen Stuhl an den Esstisch und setzte sich. Erst jetzt wurde sie von Schmerz und Trauer erfasst. Sie begann zu schluchzen und die Tränen liefen ihr über die Wangen.

«Was hat das zu bedeuten? Was haben der oder die Einbrecher hier gesucht? Besteht ein Zusammenhang mit dem Tod meines Vaters?», fragte sich Suzanne und überflog nochmals die polizeilichen Dokumente.

Ihre Grübeleien wurden durch das Klopfen an der Haustüre unterbrochen.

«Bonjour Madame», begrüsste sie die ihr unbekannte Frau.

«Sie müssen die Tochter von Robert sein.»

«Ja, das bin ich. Und wer sind Sie?»

«Ich heisse Françoise und wohne im Haus nebenan. Als ich bei Ihnen Licht brennen sah, dachte ich, ich schaue mal nach, wer da sei.»

«Das ist nett von Ihnen. Ich heisse Suzanne.»

«Herzliches Beileid. Kann ich Ihnen irgendwie behilflich sein?»

«Offenbar war vor mir schon sonst jemand hier und hat das ganze Haus auf den Kopf gestellt. Haben Sie nichts bemerkt?»

«Der Einbruch ist in der Nacht vor dem Unfall Ihres Vaters erfolgt. Robert war an diesem Abend mit uns zusammen bei der *Fête du Beaujolais nouveau*, einem kleinen Quartierfest. Er wollte tags darauf bei der Polizei Anzeige erstatten. Dann haben wir nichts mehr von ihm gehört, bis wir das Foto seines silbergrauen Citroën C3 in der Zeitung entdeckten und lesen mussten, was passiert war.»

«Vater war bei einem Quartierfest? War er betrunken?»

«Betrunken würde ich nicht sagen, vielleicht ein wenig angesäuselt, aber bis am andern Morgen war er sicher wieder fahrtüchtig.»

«Im Polizeibericht wird von einem Alkoholgehalt von 2,2 Promille berichtet …»

«… das stand auch in der Zeitung und ist für uns unverständlich. Wir können fast nicht glauben, dass er am Unfalltag so viel zu sich genommen hat. Mein Mann sagt, er hätte ja mehr als einen Liter Wein oder zwanzig Pastis trinken müssen, um auf diesen Pegel zu kommen!»

«Das ist doch unmöglich! Da wäre Vater sturzbesoffen gewesen und hätte kaum noch aufrecht gehen können.»

5

Marseille, November 2018

Suzanne fuhr zuerst mit dem Bus 19T bis zum *Rond Point du Prado*, dann mit der Metro M2 zur Station *Noailles* und schliesslich mit dem Bus 81 an den *Boulevard Camille Flammarion*, wo sie sofort das *Laboratoire de Police Scientifique* fand.

Die junge Ärztin erwartete sie bereits in ihrem Büro und empfing sie freundlich.

«*Bonjour Madame Schneider.* Herzliches Beileid, das ist sicher ausserordentlich hart für Sie – ich finde, der Verlust eines Elternteils ist etwas vom Traurigsten.»

Suzanne war fast ein wenig überrumpelt von der Empathie der sympathischen Frau, die sich als Isabelle Blanc vorgestellt hatte.

«Ja, Sie haben recht, denn wir haben ja nur eine Mutter und nur einen Vater.»

«Lebt Ihre Mutter noch?»

«Nein, sie ist tödlich verunfallt, als ich noch ein Baby war.»

Behutsam leitete Dr. Blanc zum Ergebnis der Autopsie über.

Bei der Obduktion habe sie natürlich den Mageninhalt des Verstorbenen untersucht, begann sie ihre Erklärungen.

Dabei habe sie neben geringen Speiseresten eine grössere Menge Branntwein gefunden, die Schneider wahrscheinlich kurz vor dem Unfall zu sich genommen habe.

«Das ist einfach nicht möglich!», protestierte Suzanne. «Vater hat praktisch nie Gebranntes getrunken!»

«Ich kann Ihnen nur sagen, was ich festgestellt habe.»

«Vielleicht wollte er sterben und hat sich Mut angetrunken. Suizid ist oft eine Spontanhandlung und da verhalten sich Menschen eben nicht mehr rational.»

«Nein, Selbstmord hat mein Vater ganz sicher nicht begangen. Vielleicht hat ihn jemand zum Trinken gezwungen.»

«Wie kommen Sie darauf?»

«In der Nacht vor seinem Tod ist in seinem Haus eingebrochen worden.

Der oder die Einbrecher müssen irgendetwas gesucht haben.

Das ist doch verdächtig, da könnte doch ein Zusammenhang bestehen.»

«Wenn Sie daran zweifeln, dass es ein Unfall gewesen ist, dann müssen Sie mit der Polizei Kontakt aufnehmen. Ich bin nur für die Autopsie zuständig.»

«Das ist mir schon klar. Ist Ihnen eventuell sonst noch etwas aufgefallen? Was ist mit den Verletzungen?»

«Selbstverständlich habe ich auch diese untersucht. Die Knochenbrüche sind eine typische Folge des Aufpralls nach einem Sturz aus grosser Höhe. Unschlüssig sind für mich die Prellungen im Gesicht und die gebrochene Nase. Solche Verletzungen entstehen eher bei einer Prügelei.»

«Jetzt soll sich also mein Vater auch noch geprügelt haben?»

«Ich sage nicht, dass es so war, aber es könnte so gewesen sein.»

Benommen verliess Suzanne das Laborgebäude. Kurzentschlossen liess sie sich mit einem Taxi erneut zur *Gendarmerie Nationale* an der *Avenue de la Timone* fahren.

«Haben Sie einen Termin?», fragte der unhöfliche Schalterbeamte.

«Nein, aber ich muss unbedingt mit der Kriminalpolizei sprechen.»

«Wenn Sie keinen Termin haben, wird das eine Weile dauern. Im Moment sind alle beschäftigt, vielleicht ist es besser, Sie machen jetzt einen Termin für einen der nächsten Tage ab.»

«Nein, ich bestehe darauf, jetzt empfangen zu werden.

Ich verlasse dieses Haus nicht, bis jemand Zeit für mich hat!»

«Wie Sie meinen», entgegnete er mürrisch, wies ihr den Weg in ein kleines Wartzimmer und liess sie allein.

Schneller als sie erwartet hatte, wurde Suzanne abgeholt und in das Büro eines Kommissars geleitet.

Der junge Mann hörte sie höflich und geduldig an, machte sich zwischendurch Notizen, konnte aber nicht verbergen, dass er ihr keinen Glauben schenkte.

Als sie nach dem Stand der Anzeige betreffend des Einbruchs im Haus ihres Vaters fragte, tippte er mehrere Begriffe in seinen Computer.

Nach zwei oder drei Minuten schüttelte er den Kopf und eröffnete ihr, im System sei keine solche Anzeige registriert – wahrscheinlich habe *Monsieur Schneider* darauf verzichtet, aber sie könne ja jetzt gleich ihre Klage deponieren, er werde die Angelegenheit dann weiterleiten.

Schliesslich erkundigte sie sich noch nach dem Verbleib des Autos ihres Vaters. Erneut suchte er die Antwort im Computer. Diesmal wurde er sofort fündig und erklärte ihr, der graue Citroën C3 sei verschrottet worden.

«Ohne mich zu fragen? Wurde der Wagen wenigstens vor der Verschrottung kriminaltechnisch untersucht?»

«Dazu bestand unsererseits keine Veranlassung und Sie haben kein entsprechendes Begehren gestellt.»

24

6

Marseille, Dezember 2018

«Das ist die dritte französische Revolution», erklärte der junge Mann Suzanne, die sich nach dem Grund für die Kundgebung auf der *Canebière* erkundigt hatte.

«Die erste Revolution, die am 14. Juli 1789 mit dem Sturm auf die *Bastille* begonnen hatte, errang unter der Parole *«Liberté, Égalité, Fraternité»* das Ende der Feudal-herrschaft, die Menschen- und Bürgerrechte, die Gewal-tenteilung sowie die Trennung von Kirche und Staat.

Als zweite Revolution bezeichne ich den 1936 unter der Führung von Léon Blum errungenen Wahlsieg der Volksfront, von deren Errungenschaften wir noch heute profitieren. Denken wir nur an das Streikrecht, bezahlte Ferien sowie die Verstaatlichung der Eisenbahnen und der Rüstungsindustrie.

Und am 17. November wurde nun mit der ersten Kundgebung der *Gilets jaunes* die dritte Revolution einge-läutet.

Unsere wichtigsten Forderungen sind das Recht auf ein Dach über dem Kopf, die Erhöhung des Mindest-lohns von 1150 auf 1300 Euro, die Anhebung der Min-destaltersrente von 630 auf 1200 Euro, der Verzicht auf die Erhöhung der Benzinsteuer, die Wiedereinführung der von Macron abgeschafften Vermögenssteuer und vor allem der Ausbau der politischen Rechte in Form von Initiativ- und Referendumsrecht.»

Der von seiner Sache überzeugte Demonstrant streckte Suzanne einen Petitionsbogen mit dem umfangreichen Forderungskatalog entgegen und bat sie um ihre Unterschrift.

«S'il vous plaît!»

«Als Ausländerin darf ich wohl nicht unterschreiben.»

«Woher kommen Sie denn?»

«Aus der Schweiz.»

«Ich beneide die Schweizerinnen und Schweizer. Unsere wichtigste Forderung, das Initiativ- und Referendumsrecht, ist ja bei Euch längst eine Selbstverständlichkeit. Ihr lebt im Paradies.»

Suzanne verzichtete darauf, ihm zu erklären, in der Schweiz sei auch nicht alles Gold, was glänze, und liess ihn stehen.

Sie hatte zwar von der Protestbewegung gehört und war beeindruckt gewesen, als sie gelesen hatte, bei den wöchentlichen Kundgebungen hätten gemäss offiziellen Zahlen jeweils zwischen hundert- und dreihunderttausend Menschen teilgenommen.

Sie war jedoch der Meinung gewesen, es gehe einzig um die von der Regierung zur Finanzierung und Durchsetzung der Energiewende in Frankreich geplanten zusätzlichen Treibstoffabgaben von sieben Cent auf den

Liter Diesel und von drei Cent auf den Liter Benzin.

Nun stellte sie mit Staunen fest, dass offenbar aufgrund einer basisdemokratischen Internetabstimmung ein umfangreicher Katalog mit über vierzig Forderungen entstanden war und dass sich die Gelbwesten viel von der Einführung des sogenannten «*Référendum d'initiative citoyenne RIC*» versprachen, mit dem sie die Politik stärker direkt mitgestalten wollten.

Nach Vorstellung der Bewegung sollte das neue Bürgerrecht jedoch deutlich weiter gehen als in der Schweiz und unter anderem auch die Abwahl von Politikerinnen und Politikern ermöglichen, wobei in erster Linie an Emmanuel Macron gedacht wurde, der zur Zielscheibe des Protests geworden war.

Die Bewegung, die bewusst auf eine Struktur verzichtete und keine offiziellen Ansprechpersonen bezeichnen wollte, organisierte sich weitgehend über die sozialen Medien.

In allen grösseren Städten fanden Samstag für Samstag Kundgebungen statt, wobei auffiel, dass sowohl Rechtsextreme als auch anarchistische Aktivisten dabei waren.

Bei Medienumfragen gaben etliche Teilnehmerinnen und Teilnehmer an, erstmals in ihrem Leben öffentlich protestiert zu haben.

Daneben wurden Autobahn-Zahlstellen besetzt und die Fahrzeuge gratis durchgewunken. Auf zahlreichen Verkehrskreiseln hatten die Protestierenden Camps und Informationsstände aufgestellt.

Interessiert begab sich Suzanne auf den *Place des Capucines*, wo gemäss Flugblatt die Schlussveranstaltung der Kundgebung stattfinden sollte.

Der Platz war viel zu klein, um die grosse Menschenmenge aufzunehmen, so dass die Zugangsstrassen hoffnungslos überfüllt waren und kein Durchkommen mehr möglich war.

Polizisten der für ihr brutales Vorgehen berüchtigten Spezialeinheit *Compagnies Républicaines de Sécurité CRS* versuchten mit brachialer Gewalt die Kundgebung aufzulösen.

Mit riesigen Mengen Tränengas zwangen sie die Demonstrierenden zum Rückzug.

Mehrere hundert Menschen leisteten Widerstand, indem sie Barrikaden errichteten.

Andere zündeten Mülltonnen und Abschrankungsmaterial von Baustellen an.

Auch ein abgestelltes Polizeiauto wurde kurzerhand in Brand gesteckt.

Mehrere Geschäfte wurden geplündert.

Suzanne lief es kalt den Rücken hinunter, wenn sie in die wütenden Blicke der Demonstrierenden schaute.

Am Abend wendete sich Staatspräsident Emmanuel Macron in einer kurzfristig einberufenen Medienkonferenz an die Bevölkerung.

Er habe Verständnis für die Wut und den Ärger vieler

Mitmenschen, aber die Gewaltausschreitungen könnten nicht akzeptiert werden.

Was jetzt auflodere, habe sich in 40 Jahren aufgestaut und es sei unmöglich gewesen, auf alle Probleme in den anderthalb Jahren seiner Präsidentschaft genügend überzeugende Antworten zu geben.

Der Vorwurf, man habe die sozial Schwächeren vergessen, sei berechtigt.

Er, Macron, übernehme dafür seinen Teil der Verantwortung und sei sich auch bewusst, dass er mit gewissen Aussagen viele verletzt habe.

Die Regierung werde nun aber dafür sorgen, dass künftig alle Französinnen und Franzosen von ihrer Arbeit in Würde leben könnten.

Schliesslich kündigte er drei konkrete, kurzfristig umzusetzende Massnahmen an: Erhöhung des Mindestlohns um 100 Euro pro Monat, Steuerbefreiung von Überstundenentschädigungen und Entlastung von Menschen mit Renten unter 2000 Euro.
Die geplanten Steuererhöhungen auf Diesel und Benzin würden vorläufig zurückgestellt.

Abgelehnt werde jedoch die geforderte Wiedereinführung der Vermögenssteuer.

7

Ringgenberg, Juli 2019

Das Personal im Altersheim *Sunnsyta* hatte sich grosse Mühe gegeben, damit das kleine Fest zum Geburtstag des Hundertjährigen für alle Beteiligten angenehm würde.

Das kleine Säli neben dem grossen Esssaal war hübsch dekoriert worden und der Koch hatte das Lieblingsmenü des Jubilars zubereitet: zur Vorspeise ein Pastetli mit Fleischkügeli, als Hauptgang Saurer Mocken mit Kartoffelstock und zum Dessert ein Caramelköpfli.

Vor dem Essen waren Gemeindepräsident Zurbuchen und eine Angestellte der Gemeindeverwaltung vorbeigekommen, um zu gratulieren.

Die junge Frau übergab den prächtigen Blumenstrauss mit drei Küsschen auf die Wangen des Jubilars.

Suzanne beobachtete die Szene mit gemischten Gefühlen.

Schon bei der Begrüssung ihres Quasigrossvaters war sie erschrocken.

Vor ihr im Rollstuhl sass nicht mehr der rüstige Senior, wie sie ihn in Erinnerung hatte, sondern ein offensichtlich dementer Greis.

«Wer bist Du?», hatte er mit zittriger Stimme gefragt.

«Ich bin Suzanne, die Tochter von Robert Schneider, dem Bruder von Erwin.»

«Sind Deine Eltern auch da?»

«Nein, die sind beide gestorben. Mutter vor vierzig Jahren und Vater im letzten Herbst.»

«Ich habe dir doch erzählt, Robert sei in Frankreich mit dem Auto tödlich verunfallt», hatte sich seine Tochter kopfschüttelnd eingemischt.

Tante Annemarie hatte ihr zwar am Telefon erklärt, ihr Vater sei manchmal etwas verwirrt, aber Suzanne hatte nicht damit gerechnet, dass die Demenz schon derart fortgeschritten war. «Wo bleibt da die Lebensqualität?», murmelte sie vor sich hin.

Cousin Rolf, mit dem Suzanne wie Bruder und Schwester aufgewachsen war, hatte es so arrangiert, dass sie beim Essen nebeneinandersassen, was ihr mehr als recht war.

Er wollte von ihr wissen, wie sie sich in Marseille eingelebt habe, und erzählte ihr, dass er seit zwei Monaten beim Bundesamt für Migration angestellt sei.

«Was machst du denn dort genau?», erkundigte sie sich.

«Meine Hauptaufgabe besteht darin, herauszufinden, ob die Schweiz oder eben ein anderer Staat für die Prüfung eines Asylantrags zuständig ist.»

«Und wie gehst du da vor?»

«Das geht nach den Regeln des Dubliner Übereinkommens.»

«Was bedeutet das?»

«Wenn ein Familienmitglied der asylsuchenden Person bereits in einem Land als Flüchtling anerkannt wurde oder wenn die Person aus einem andern Vertragsstaat in die Schweiz eingereist ist, ist dieser Staat für die Behandlung des Asylgesuchs zuständig.»

«Warum ist das so kompliziert?»

«Es soll verhindert werden, dass Asylsuchende in mehr als einem Land ein Gesuch stellen und gleichzeitig mehrere Verfahren bearbeitet werden.»

«Und wie geht Ihr dabei vor?»

«Auf verschiedene Arten. Im Vordergrund stehen Befragungen. Zudem besteht für den internationalen Informationsaustausch das System EURODAC, mit dem die Fingerabdruckdaten aller Asylbewerberinnen und Asylbewerber verglichen werden.»

«Das tönt wirklich spannend.»

«Ja, und künftig soll uns zusätzlich das Bundesamt für Polizei, das fedpol unterstützen, indem Handys und Laptops von Flüchtlingen ausgewertet werden.»

«Was bringt das?»

«Wir werden auf diese Weise zusätzliche Informationen zur Herkunft und Identität der Asylsuchenden sowie insbesondere zu deren Reiseweg erhalten.»

«Wie funktioniert das?»

«Jedes Handy loggt sich automatisch bei der nächstliegenden Mobilfunkantenne ein. Aufgrund dieser Daten können die früheren Aufenthaltsorte bis auf wenige Meter genau lokalisiert und eine Art Bewegungsprofil erstellt werden. Dabei kann sogar festgestellt werden, ob sich die Person zu Fuss, mit dem Auto oder im Flugzeug fortbewegt hat.»

«Du sagst, das sei noch Zukunftsmusik?»

«Ja, aber im letzten Jahr haben wir bei einem Pilotversuch damit gute Erfahrungen gemacht. In 85 Fällen wurden nützliche Hinweise zur Identität, zum Reiseweg oder zur Herkunft gefunden. In fünf weiteren Fällen wurden zudem Informationen an Polizei- und Sicherheitsbehörden weitergeleitet – wegen des Verdachts auf Menschenhandel, auf Handel mit Betäubungsmitteln oder auf die Begehung von Kriegsverbrechen.»

«Das heisst, für diese Methode besteht keine gesetzliche Grundlage?»

«In der Tat dürfen wir gegenwärtig die Mobiltelefone für die Prüfung der Asylgesuche nicht heranziehen. Aufgrund einer parlamentarischen Initiative diskutiert aber die Staatspolitische Kommission des Nationalrates eine entsprechende Änderung des Asylgesetzes.

Der Vorstoss ist allerdings umstritten. Die Gegnerinnen und Gegner sehen darin einen schwerwiegenden Eingriff in das Grundrecht auf Schutz der Privatsphäre.

Wie ein Blitz aus heiterem Himmel brachten seine Erklärungen Suzanne auf eine Idee.

Irgendwie war sie nicht imstande gewesen, das Handy ihres Vaters wegzuwerfen, das ihr die Polizei im November ausgehändigt hatte.

«Könntest du mir einen Gefallen tun?», bat sie mit unschuldiger Miene ihren Cousin.

«Kommt darauf an, um was es geht.»

«Könntest du mit dieser Methode das Handy meines Vaters auswerten lassen?»

«Warum möchtest du das?»

«Weil ich wissen möchte, wo er die letzten Stunden seines Lebens verbracht hat.»

Nach kurzem Zögern versprach Rolf, er werde versuchen, ihren Wunsch zu erfüllen.

Sie solle ihm das Handy von Onkel Robert schicken, aber versprechen könne er nichts und sie müsse sich sicher ein paar Wochen gedulden.

8

Fréjus, September 2019

Zum ersten Mal nahm Suzanne als Auslandkorrespondentin des Media-Verlages an einer Medienkonferenz in Frankreich teil. Sie war aufgeregt wie beim ersten Rendezvous als Teenager.

Zwei Tage nach dem tristen Geburtstagsfest in Ringgenberg hatte sie in Bern einen Termin beim Chefredaktor der Berner Zeitung erhalten.

«Wie stellen Sie sich das vor?», hatte ihr Gesprächspartner skeptisch gefragt.

«In Marseille und an der *Côte d'Azur* passiert viel Interessantes, aber in Ihrer Zeitung steht selten etwas davon. Ich könnte für Sie ab und zu einen Artikel schreiben.»

«Das ist eine gute Idee, aber ich kann Sie dafür nicht anstellen.»

«Ich habe auch nicht an eine feste Anstellung gedacht. Sie könnten mich als Freelancerin für jeden Beitrag einzeln entschädigen. So stehe ich nicht unter einem Leistungsdruck.»

«Ich muss mir das überlegen – sie hören von mir.»

Er hatte Wort gehalten und ihr am nächsten Tag eröffnet, der Tamedia-Verlag sei bereit, ihr eine Chance zu geben und einen entsprechenden Versuch zu wagen.

Suzanne hatte befürchtet, der Zutritt zur Medienkonferenz werde ihr verwehrt. Sie besass zwar einen Presseausweis, aber sie war bei der *Gendarmerie nationale* noch nicht als Korrespondentin akkreditiert.

Vorsichtshalber war sie gegen 11 Uhr in Montredon La Madrague abgefahren und hatte Fréjus über die Autobahn A50 / A57 gegen 13 Uhr erreicht und ihr Auto im Parking an der *Rue du Dr. Albert Schweitzer* abgestellt.

Im marokkanischen Restaurant *Bon'Franquette* an der *Rue Aviateur* bestellte sie ein *Couscous* und ein Glas *Bandol rosé*.

Kurz nach halb zwei Uhr stand sie als eine der Ersten vor der noch verschlossenen Tür an der *Rue de Triberg*, wo die Medienkonferenz stattfinden sollte.

Erfreulicherweise hatte der Gendarm an der Türkontrolle beide Augen zugedrückt und sie durchgewunken, als sie ihm den Ausweis mit dem grossen Schweizerkreuz unter die Nase gestreckt und dabei ihr nettestes Lächeln aufgesetzt hatte.

Der Konferenzraum platzte aus allen Nähten. Nicht nur aus ganz Frankreich waren Journalistinnen und Journalisten von Zeitungen sowie Radio- und Fernsehstationen eingetroffen, sondern auch aus dem nahen Ausland.

Mit der im Süden üblichen zwanzigminütigen Verspätung eröffnete der Kommandant der *Gendarmerie nationale* die Veranstaltung.

Vorerst würdigte er mit salbungsvollen Worten die Verdienste des ermordeten Gustave Pierre bei der Befreiung von den deutschen Besatzern und erinnerte daran, dass das Opfer erst vor wenigen Tagen seinen hundertsten Geburtstag gefeiert habe.

«Schon wieder ein Hundertjähriger!», dachte Suzanne und sah vor ihrem geistigen Auge wieder den dementen Grossvater.

Sie riss sich zusammen, um wieder den Schilderungen des Polizeikommandanten zu folgen.

«Der Täter, der sich widerstandslos festnehmen liess, ist ebenfalls hundertjährig», fuhr dieser fort. «Wir gehen deshalb davon aus, dass sich die beiden gekannt haben, wissen aber im Moment über ihre Beziehung ebenso wenig wie über das Motiv. Der Festgenommene hat zwar die Tat freimütig zugegeben, verweigert aber darüber hinaus jede Aussage.»

«Warum verheimlichen Sie den Namen des Täters?», fragte ein Radiojournalist in aggressivem Ton.

«Zu gegebener Zeit werden wir die üblichen Details zur Person veröffentlichen», antwortete der Polizeikommandant überheblich. «Bis wir den exakten Tathergang und das Umfeld des Verhafteten kennen, müssen Sie sich mit den Initialen F. D. begnügen.»

«Können Sie etwas über die Tatwaffe sagen?»

«Ja, es handelt sich um einen Revolver 1874, Kaliber elf Millimeter. Dieses Modell wurde von der *Manufacture d'Armes* in Saint-Étienne hergestellt und war bei der französischen Armee als Offizierswaffe bis Ende des Zweiten Weltkriegs im Einsatz.»

«War der Täter zurechnungsfähig oder ist er dement und handelte in einem Zustand geistiger Umnachtung?»

«Der forensische Dienst wird seinen geistigen Zustand untersuchen, um die Frage der Zurechnungsfähigkeit zur Tatzeit beantworten zu können.»

«Stammt der Täter aus unserer Gegend?»

«Nein, er hat Wohnsitz in Arles, wo er offensichtlich bis jetzt allein lebte.»

«Stimmt es, dass dem Toten ein Zeichen auf die Stirne geritzt wurde?»

«Dazu kann ich aus ermittlungstechnischen Gründen heute noch keine Details bekannt geben.»

Nach einer guten halben Stunde war die Medienkonferenz vorbei.

Suzanne fand, der Stoff sei wohl zu wenig interessant für eine Berichterstattung in der Schweiz.

Der Umstand, dass Mörder und Täter gleich alt waren

und denselben Jahrgang hatten wie ihr Grossvater, liess sie jedoch nicht los und sie beschloss, den Fall weiterzuverfolgen.

9

La Ciotat, September 2019

«An diesem Tisch sass ich vor vier Monaten mit Ihrem Vater zusammen», erklärte der Unbekannte, der Suzanne seinen Namen um keinen Preis bekannt geben wollte.

Sie war mit einem unguten Gefühl ins *Restaurant Coquillages* am *Boulevard Anatole France* gekommen, hatte sich jedoch nach einigem Zögern durchgerungen, das Risiko einzugehen, weil sie hoffte, auf diese Weise Licht in das Dunkel des Todes ihres Vaters bringen zu können.

Es war zwei Wochen her, seit sie zum ersten Mal mit dem Fremden telefoniert hatte.

Erst bevor sie das Handy ihres Vaters zur Auswertung in die Schweiz geschickt hatte, war sie auf die Idee gekommen, das Gesprächsprotokoll anzuschauen.

Dabei war ihr aufgefallen, dass die beiden im vergangenen November mehrmals miteinander Kontakt gehabt hatten.

Schliesslich war sie auf seinen Vorschlag eingegangen, sich in La Ciotat zu treffen.

Nach der Medienkonferenz in Fréjus war sie der Küste entlang auf der D1098 / D559 über Hyères und Toulon gefahren und hatte das Auto im *Parking de la Tasse* abgestellt.

Weil sie viel zu früh in La Ciotat angekommen war, hatte sie sich entschlossen, sich die Beine bei einem Spaziergang durch das Hafengelände zu vertreten.

Die mächtigen Schiffskrane, welche an die vergangene Blütezeit der grossen Werften erinnerten, waren ihr wie riesige Galgen vorgekommen und hatten ihre Unsicherheit noch vergrössert.

«Was ist, wenn der Unbekannte etwas mit dem Tod meines Vaters zu tun gehabt hat? Lockt er mich in eine Falle? Sollte ich die stählernen Galgen als Mahnmal erkennen, die mich vor einem falschen Schritt warnen wollen?», solche und ähnliche Fragen schwirrten ihr durch den Kopf und sie wäre beinahe nach Hause gefahren, ohne den Fremden zu treffen.

Die Neugier war jedoch stärker gewesen und die Hoffnung, bei ihrer Spurensuche voranzukommen, hatte ihr Mut gegeben.

Der rundliche, untersetzte Mann, der sie begrüsste, sah alles andere als gefährlich aus und sie schöpfte rasch Vertrauen, obwohl ihr Herz weiterhin heftig pochte.

«Was wollen Sie von mir?»

«Ich möchte wissen, was mein Vater mit Ihnen zu tun gehabt hat.»

«Das war eine geschäftliche Angelegenheit.»

«Um was für ein Geschäft ging es?»

«Er sollte mir helfen, einer Betrügerbande das Handwerk zu legen.»

«Sind Sie von der Polizei?»

«Nein, nicht direkt.»

«Was heisst das?»

«Ich arbeite im Auftrag einer Versicherung.»

«Und um was für Betrügereien handelte es sich?»

«Haben Sie schon einmal etwas von Karussellgeschäften gehört?»

«Nein, was ist das?»

In monotoner Art und leiser Stimme begann er zu dozieren: «Karussellbetrug, englisch Missing Trader Intra-Community Fraud MTIC, ist eine in der Europäischen Union weitverbreitete Form organisierter Kriminalität. Dabei arbeiten Unternehmen in verschiedenen EU-Staaten zusammen.

Beispielsweise verkauft das belgische Unternehmen X medizinische Geräte im Wert von 100 000 Euro an die italienische Briefkastenfirma Y. Weil es sich dabei um Firmen aus zwei EU-Staaten handelt, bleibt dieses Geschäft steuerfrei.

Die Scheinfirma Y verkauft dann die Ware für 100 000 Euro plus Mehrwertsteuer an den italienischen Zwischenhändler Z weiter, welcher die Mehrwertsteuer zurückerstattet bekommt.

Die Firma Y, welche die Mehrwertsteuer dem Finanzamt abliefern müsste, verschwindet jedoch, während Z die Ware wiederum steuerneutral an den belgischen Lieferanten X zurückverkauft.

Professionell organisierte Steuerkarusselle bestehen nicht nur aus drei Akteuren, sondern aus einer Mehrzahl von Playern, die andauernd wechseln, auftauchen und wieder verschwinden. Der weiteren Verschleierung dienen sodann Scheinrechnungen und Scheinlieferungen.

Früher mussten die Betrüger die Ware noch hin und her transportieren, um Kasse auf Kosten des Staates zu machen. Heute läuft das Geschäft mit virtuellen Waren wie Stromkontingenten oder CO_2-Zertifikaten, die im Internet gehandelt werden.

Die EU-Kommission schätzt die Summe, die den Mitgliedstaaten jährlich entgehen, auf 100 Milliarden Euro.

Oft stecken auch Leute aus der Verwaltung mit den professionellen Banden unter einer Decke. Diese besorgen dann gefälschte Bestätigungen über die angeblichen Ablieferungen der Mehrwertsteuern.»

«Und was hat das mit meinem Vater zu tun?»

«Nichts.»

«Jetzt verstehe ich überhaupt nichts mehr.»

Erneut setzte ihr Gesprächspartner zu einem langen Monolog an: «Angefangen hat die Geschichte mit dem Haus in Montredon La Madrague.

Die todkranke Verkäuferin hat Ihrem Vater ihre Lebensbeichte anvertraut und ihm verraten, dass sie aus Rache für eine Gruppenvergewaltigung drei Morde verübt habe, die nie aufgedeckt worden sind.

Sie hatte Ihrem Vater den Auftrag erteilt, nach ihrem Tod ihre Lebensgeschichte zu veröffentlichen.

Weil es sich bei einem der Mordopfer um den Chef der *Gendarmerie Nationale* gehandelt hatte, führte die Veröffentlichung zu einem veritablen Skandal und zum Gerücht, der Polizeichef und weitere Polizeikreise seien in unlautere Geschäfte verwickelt.

Da wir unsererseits den Verdacht hatten – und übrigens immer noch haben, Polizeibeamte seien in die Karussellbetrügereien verwickelt, wollten wir die Verunsicherung bei der *Gendarmerie Nationale* nutzen und baten Ihren Vater, bei seinen Kontakten mit den Medien, diesen Verdacht zu erwähnen.»

«Sie haben meinen Vater missbraucht!»

«Von Missbrauch kann keine Rede sein. Wir hofften einfach, jemand würde die Nerven verlieren.»

«Und mein Vater hat getan, was Ihr von ihm erwartet hattet?»

«Das wissen wir nicht. Er ist ja dann tödlich verunfallt.»

«Glauben Sie, dass es ein Unfall war?»

44

«Alles deutet darauf hin. Denken Sie denn, es sei kein Unfall gewesen?»

«Je länger desto mehr sagt mir mein Gefühl, dass Vater Opfer eines Verbrechens geworden ist.»

«Wie kommen Sie darauf?»

«Der Einbruch in seinem Haus am Vorabend seines Todes, die Unmenge Alkohol in seinem Magen, die unerklärlichen Verletzungen in seinem Gesicht – da ist etwas faul!»

«Was wollen Sie tun?»

«Ich möchte, dass Sie mir helfen.»

«Ich?»

«Ja, ich vermute, Sie sind eine Art Detektiv und sind sich gewohnt, solche Dinge zu verfolgen.»

«Stimmt, ich bin Privatdetektiv.»

«Helfen Sie mir?»

«Ich bin gerne bereit, Ihnen zu helfen. Auf Ihr Gefühl will ich mich aber nicht verlassen. Wir brauchen Fakten, oder mindestens eine heisse Spur.»

10

Marseille, September 2019

Sonntagmorgen, Herbst 2019, eine unbekannte französische Handynummer.

«Bernard Tapie, bonjour.»

«Ist das ein Scherz?» fragte Suzanne unsicher.

«Warum ein Scherz? Sie haben mir doch geschrieben und mich um einen Interviewtermin gebeten. Ich bin im Moment hier in Marseille im Spital. Kommen Sie doch vorbei, ich habe heute Nachmittag Zeit.»

Der Name Bernard Tapie stand auf einer Liste von Persönlichkeiten, die Suzanne gerne porträtiert hätte.

Sie hatte sich vorgenommen, etwa im Zweiwochenrhythmus für die Zeitungsleserinnen und -leser in der Schweiz Berichte über Menschen, Orte und Ereignisse in Marseille und Umgebung zu verfassen.

Suzanne wurde von Tapie in der Cafeteria des Instituts *Paoli-Calmettes* am *Boulevard de Sainte-Marguerite* galant mit zwei Küsschen empfangen und war gleich zum Du übergegangen.

Mit angeschlagener Stimme berichtete er über seine Krankheit und deren Behandlung und erzählte unaufgefordert seine Lebensgeschichte.

Suzanne hörte interessiert zu, machte sich Notizen und entwarf in ihrem Kopf das zu schreibende Porträt.

Privatleben

Bernard Tapie wurde am 26. Januar 1943, also während der deutschen Besetzung, als Sohn einer Krankenschwester und eines Metallarbeiters im 20. Arrondissement von Paris geboren.

In erster Ehe war er mit Michèle Layec verheiratet, mit der er eine Tochter, Nathalie, und einen Sohn, Stéphane, hatte.

1987 heiratete er Dominique Mialet-Damianos, mit der er eine Tochter, Sophie, und einen Sohn, Laurent, hatte.

Sophie ist eine bekannte französische Sängerin.

Unternehmer

Bereits im Alter von 21 Jahren gründete Tapie seine erste Firma, mit der er Fernsehgeräte verkaufte.

Später spezialisierte er sich darauf, insolvente Firmen aufzukaufen und diese mit grossem Gewinn wieder zu verkaufen.

So hatte er innerhalb von rund zehn Jahren unter anderem die Unternehmen Terraillon (Küchenwaagen), Look (Skibindungen, Fahrradpedale), La Vie claire (Bio-Nahrungsmittel), Wonder (Handelsfirma), Donnay (Tennisschläger) für je einen Franc erworben, mit harter Hand saniert und dann im Schnitt nach zirka fünf Jahren für 100 bis 500 Millionen Francs weiterverkauft.

Zu Beginn der 90er-Jahre galt er als einer der zwanzig reichsten Franzosen.

Adidas-Handel

1990 erwarb Tapie 80 Prozent der von Adi Dassler gegründeten

Firma Adidas zum Preis von 1,6 Milliarden Francs.

Drei Jahre später beauftragte er seine Hausbank, die Crédit Lyonnais, seine Anteile zu verkaufen.

Die Staatsbank übernahm die Anteile jedoch über eine Offshore-Firma für rund zwei Milliarden Francs vorerst selbst und verkaufte sie kurz darauf für fast den doppelten Preis an den in der Schweiz lebenden Unternehmer Robert Louis-Dreyfus.

Tapie fühlte sich hintergangen, klagte die Bank ein und verlangte Schadenersatz. Nach einem langwierigen Verfahren sprach ihm ein Schiedsgericht 2008 eine Entschädigung von 403 Millionen Euro zu.

Dieser Entscheid wurde jedoch später als ungültig erklärt, Tapie wegen betrügerischen Manipulationen angeklagt und im Juli 2019 freigesprochen.

Gegen diesen Freispruch hat die Staatsanwaltschaft erneut Berufung eingelegt, so dass sich der nunmehr 25 Jahre dauernde Streit weiterziehen wird.

Politik

1989 wurde Tapie überraschend in die Nationalversammlung gewählt und 1993 gelang ihm entgegen aller Erwartungen die Wiederwahl.

Seine Wahlerfolge wurden darauf zurückgeführt, dass er nicht nur Jean-Marie Le Pen, den Chef des rechtsextremen Front National, sondern auch dessen Wählerinnen und Wähler frontal angegriffen und als «Bastarde» bezeichnet hatte.

Staatspräsident François Mitterand war von den unternehmerischen und politischen Erfolgen Tapies beeindruckt und übertrug ihm 1992 in der sozialistischen Regierung von

Premierminister Pierre Bérégovoy das Ministerium für Städtebau.

Bei den Präsidentschaftswahlen 2007 unterstützte Tapie den bürgerlichen Nicolas Sarkozy, weil ihm die Sozialistin Ségolène Royal zu links war.

Sport

In jungen Jahren bestritt Tapie mehrere Autorennen in der Formel 3, musste den Motorsport aber nach einem schweren Unfall aufgeben.

In den 80er-Jahren leitete er erfolgreich das Radsportteam La Vie Claire, dem unter anderen die Spitzenfahrer und nachmaligen Tour-de-France-Sieger Bernard Hinault und Greg LeMond angehörten.

1986 bis 1994 war Tapie Präsident des Fussballclubs Olympique Marseille OM, der 1989 bis 1993 fünfmal in Folge französischer Meister, 1989 zudem Cupsieger und 1993 sogar Gewinner der Champions League wurde.

Nachdem ihm vorgeworfen worden war, er habe Spieler des Fussballclubs Valenciennes bestochen, um seine Spieler vor dem Final der Champions League zu schonen, wurde OM der Meistertitel aberkannt und der Club in die 2. Liga relegiert.

Tapie wurde zu einer Freiheitsstrafe von zwei Jahren verurteilt, davon acht Monate unbedingt, wovon er sechs Monate absass.

Krise

Die Affären um OM und Adidas sowie eine Verurteilung im Zusammenhang mit der Firma Testut, die er 1993 erworben hatte, brachen Tapie das Genick.

Im Herbst 1994 musste er als Präsident von OM zurücktreten

und Privatkonkurs anmelden.

Nach seiner definitiven Verurteilung im November 1996 wurde ihm zudem das Parlamentsmandat entzogen.

Er durfte während drei Jahren keine Geschäfte mehr machen, hatte die politischen Rechte verloren und durfte auch keine aktive Rolle im Fussball mehr übernehmen.

Tapie schlug sich in dieser Zeit als Schauspieler in Filmen und auf der Bühne, als Sänger, Schriftsteller und Fernsehmoderator durch.

Nach Wiedererlangen der bürgerlichen Rechte stieg er wieder als Unternehmer ein und erwarb unter anderem die Mehrheit an den südfranzösischen Zeitungen La Provence und Nice-Matin sowie deren Ableger Var-Matin.

Krebs

2017 gab Tapie bekannt, er habe Magenkrebs. Ein Jahr später verkündete seine Familie, er leide an einem doppelten Krebs der Speiseröhre und des Magens.

Nun hatte ihn sein behandelnder Arzt, Professor Jean-Philippe Spano, Onkologe am Pariser Krankenhaus Pitié-Salpêtrière, zur Onkologin Laurence Moureau-Zabotto nach Marseille ins Institut Paoli-Calmettes überwiesen, um sich mit einem hier entwickelten einzigartigen Strahlentherapiegerät behandeln zu lassen.

«So viel zur Biografie deines Gegenübers.

Schreib deinen Leserinnen und Lesern in der Schweiz, dass dieses Institut in der Krebsbehandlung einen europäischen Spitzenplatz besetzt. Marseille ist eben mehr als *Vieux Port*, *Notre Dame de la Garde*, *Calanques*, *OM* und Kriminalität, Marseille bedeutet Fortschritt, Kompetenz und medizinische Exzellenz», beschwor der sichtlich Geschwächte Suzanne beim Abschied.

11

Marseille, September 2019

Jean-Claude Gaudin, der Stadtpräsident von Marseille, war nicht bereit gewesen, Suzanne zu empfangen, dabei hatte sie der Redaktion der Berner Zeitung in Aussicht gestellt, im Hinblick auf die Kommunalwahlen 2020 diese schillernde Figur zu porträtieren.

Sie war deshalb gezwungen gewesen, in Zeitungsarchiven zu recherchieren und sich in ihrem Bekanntenkreis umzuhören.

Jean-Claude Gaudin wurde am 8. Oktober 1939, also zu Beginn des Zweiten Weltkrieges, in Mazargues, im 9. Arrondissement von Marseille geboren.

Sein Vater war Maurer und seine Mutter eine Espadrille-Herstellerin.

Er war nie verheiratet.

Noch heute wohnt er in seinem Elternhaus.

Die Wochenenden verbringt er häufig in seiner rund 30 Kilometer entfernten Villa mit Schwimmbad in der Gemeinde Saint-Zacharie.

Nach dem Universitätsabschluss hatte er 15 Jahre lang als Lehrer für Geschichte und Geografie am katholischen Gymnasium *Saint Joseph les Maristes* unterrichtet.

1965 wurde er als jüngstes Mitglied in den Stadtrat von

Marseille gewählt, dem er bis 1983 angehörte.

Mit der 1976 erfolgten Wahl in die Nationalversammlung begann seine 44 Jahre dauernde Laufbahn als Berufspolitiker:

1976 – 1989	Mitglied der Nationalversammlung
1986 – 1998	Präsident des Regionalrates
1989 – 1995	Mitglied des Senats
seit 1995	Stadtpräsident von Marseille
1995 – 1997	Minister für territoriale Entwicklung
1998 – 2017	Mitglied des Senats

1995 hatte also Gaudin nebst dem Stadtpräsidium und dem Vorsitz des regionalen Parlaments auch noch einen Ministerposten in der Regierung von Alain Juppé inne.

Solche Ämterkumulationen waren in Frankreich lange Zeit gang und gäbe, bis diese auf Antrag von Staatspräsident François Hollande gegen heftigen Widerstand verboten wurden.

Auch Gaudin musste sich diesem Verbot beugen. Er hatte sich 2017 für den Verbleib im Rathaus von Marseille entschieden und musste den Sitz im Senat freigeben.

«Mafioso!», war die spontane Antwort des Taxifahrers, als ihn Suzanne gefragt hatte, was er vom Stadtpräsidenten halte.

«Wie kommen Sie darauf?»

«Ich fahre seit bald 40 Jahren Taxi, höre viel und habe beim Warten auf Kunden Zeit zum Nachdenken. In der Stadtverwaltung herrscht Korruption und Protektion. Da wird mit Gefälligkeiten Politik gemacht, wir nennen das System *Gaudinie*.»

«Aber er wurde 2001, 2008 und 2014 mit guten Ergebnissen wiedergewählt.»

«Investiert wird vor allem in Fassaden, in Luxusprojekte und nicht in menschenwürdige Wohnverhältnisse in den Armenvierteln. Bauprojekte gegen Stimmen – das hat lange funktioniert!»

«Im nächsten Frühling kandidiert er nicht mehr.»
«Er würde auch nicht mehr gewählt! Im letzten November sind vielen die Augen aufgegangen!»

Suzanne war klar, dass sich der Taxichauffeur auf den Einsturz der zwei Wohnhäuser an der *Rue d'Aubagne* bezog, wo am 5. November 2018 acht Menschen das Leben verloren hatten.

Ein paar Tage danach war zu einem Trauermarsch aufgerufen worden.

«Inkompetenz und Fahrlässigkeit haben Ouloumé, Fabien, Simona, Pape Maguette, Marie-Emmanuelle, Chérif, Taher und Julien ermordet», war auf einem Transparent zu lesen gewesen.
Gaudin wurde vorgeworfen, er sei über die Einsturzge-

fahr der Gebäude im Bild gewesen und müsse zurücktreten.

Mehrere Leute, die von Suzanne zu Gaudin befragt worden waren, hatten ähnlich vernichtend über ihren Stadtpräsidenten geurteilt wie der Taxichauffeur.

Marseille liege hinter Lille bei der Wohnsteuer, der so genannten *Taxe d'habitation*, mit 41,59 Prozent an zweiter Stelle, wurde geklagt.

Die Verschuldung betrage 338 Euro pro Einwohner, verglichen mit 145 im Durchschnitt der anderen französischen Grossstädte, lautete ein weiterer Vorwurf.

Im Zentrum der Kritik stand jedoch der marode Zustand von mehr als zweihundert Wohngebäuden, die nach dem 5. November 2018 evakuiert werden mussten.

Kritisiert wurde zudem der Zustand zahlreicher Schulen, deren Unterhalt sträflich vernachlässigt worden sei. Einstürzende Decken, Wasserschäden und sogar Ratten und Wanzen würden von der Lehrerschaft und von Elternverbänden beklagt.

Suzanne hatte bei ihren Gesprächen jeweils auch gefragt, ob es denn in der Bilanz von Gaudins Amtszeit keine positiven Punkte gebe.
«Doch, die Arbeitslosenquote ist in 25 Jahren von 21,6 auf 11,8 Prozent gesunken, insbesondere dank des

Booms der Kreuzfahrtschiffe», hielt einer ihrer Gesprächspartner dem Stadtvater zugute.

Gaudin selber, der die Kritik ungerecht und unangebracht fand, wies in einem langen Interview mit der linksliberalen Zeitung *Libération* auf seine grossen Verdienste hin und erwähnte dabei stolz die Renovierung der Uferpromenade, das neue Fussballstadion *Vélodrome*, den *Parc des Calanques*, das Museum der Zivilisationen Europas und des Mittelmeers *MuCEM* und den renovierten *Vieux Port*.

«Klientelismus, gespielte Biederkeit, Leutseligkeit und das Weihwasser, seien die Erfolgsfaktoren für die erfolgreiche Politkarriere des 80-jährigen Stadtpräsidenten gewesen», frotzelte der Taxichauffeur beim Abschied.

«Weihwasser?»

«Ja, Gaudin ist Mitglied des vom Spanier Josemaría Escrivá de Balaguer y Albás als Zusammenschluss für ehelos lebende katholische Männer gegründeten *Opus Dei* und sagt selbst, er sei mit Weihwasser bespritzt.

Er rühmt sich, mit Johannes Paul II., Benedikt XVI. und Franziskus die drei letzten Päpste getroffen zu haben und vom Heiligen Stuhl für seine Verdienste den Orden *Commandeur de l'ordre de Saint-Grégoire-le-Grand* erhalten zu haben.»

12

Marseille, September 2019

«Was glauben Sie, wem ist das *MuCEM* in erster Linie zu verdanken?», fragte die junge Führerin die Besuchergruppe, der sich Suzanne angeschlossen hatte.

«Jean-Claude Gaudin, François Hollande, Rudy Ricciotti», lauteten einige der Antworten.

«Die genannten Männer waren zwar alle beteiligt – ich werde darauf zurückkommen, aber ausgelöst worden ist die Planung durch die Faser $Mg_3Si_2O_5(OH)_4$», erwiderte Claudine, wie sie sich vorgestellt hatte, mit verschmitztem Lächeln.

«Was soll dieser Quatsch?», brummte der distinguierte Herr mit Berliner Akzent.

«Das ist die chemische Bezeichnung für Weissasbest, den vor allem in den 70er-Jahren häufig verwendeten Baustoff, von dem heute bekannt ist, dass die Fasern Asbestose und Lungenkrebs auslösen können.

Wegen der Asbestbelastung musste das 1972 im *Bois de Boulogne* in Paris gebaute *Musée national des Arts et Traditions Populaires* aus gesundheitlichen Gründen geschlossen werden.

Nach langem Hin und Her ist dann beschlossen worden, das Sammelgut nach Marseille in ein neu zu bauendes Museum zu verlegen. Unser Stadtpräsident Gaudin, der damals gleichzeitig einen Ministerposten innehatte, hat sich gegen Premierminister Juppé durchgesetzt, der für den Standort Bordeaux gekämpft hatte, wo er während 25 Jahren Stadtpräsident war.

Weiss jemand, wer damals Staatspräsident war?»

«Mitterrand», glaubte der Berliner zu wissen.

«Falsch!»

«Hollande?»

«Nein, es war Jacques Chirac, der seit ein paar Wochen mit dem Tod kämpft.

Im Juni 2002 wurde dann ein internationaler Architekturwettbewerb ausgeschrieben.

Aus sechs Projekten wurde dasjenige des Franzosen Rudy Ricciotti ausgewählt.

Der in Bandol lebende Ricciotti, einer der kreativsten und experimentierfreudigsten Architekten Europas, hat übrigens auch das *Jean-Cocteau-Museum* in Menton, das *Mémorial du Camp* in Rivesaltes und das Museum für zeitgenössische Kunst in Lüttich gebaut.»

«Und das Projekt für die Konzerthalle *Les Arts* in Gstaad stammt auch von Ricciotti», plusterte sich die grell geschminkte Schweizerin auf, die Suzanne von Anfang an aufgefallen war.

«Im Juni 2013, zur Eröffnung von Marseille als Kulturhauptstadt Europas, ist das *Musée des Civilisations de l'Europe et de la Méditerranée*, oder zu Deutsch: Museum der

Zivilisationen Europas und des Mittelmeers, das 190 Millionen Euro gekostet hat, von Staatspräsident François Hollande feierlich eingeweiht worden.

Das eigentliche Gebäude weist eine quadratische Grundfläche von 52 x 52 Metern auf und ist 18 Meter hoch. Sozusagen darübergestülpt ist eine äussere Hülle mit einer Kantenlänge von 72 Metern.

Im Erdgeschoss und im zweiten Obergeschoss befinden sich die Ausstellungsräume mit einer Gesamtfläche von rund 3600 Quadratmetern. Der Zugang erfolgt über Rampen, die zwischen dem Hauptgebäude und der Aussenhülle ringförmig angeordnet sind.

Für die gitterartige Aussenhülle, die an ein Fischernetz erinnern soll, hat Ricciotti einen ultrafesten Beton eingesetzt, der vorher nur beim Bau von Atomkraftwerken verwendet worden war.

Dieses Material ist nicht nur extrem belastbar, sondern auch gegen aggressives Salzwasser und starke Winde resistent.

Zudem benötigt der schwarze Beton keinen Anstrich, was sowohl beim Bau, aber vor allem auch beim Unterhalt kostengünstig ist.»

«Ich vermute, auch der 115 Meter lange freitragende Steg, der das Museum mit dem gegenüberliegenden Fort verbindet, sei aus diesem Ultra-Hochleistungsbeton gefertigt», meldete sich die Berlinerschnauze wieder zu Wort.

«Wollen Sie gleich die Führung übernehmen?

Nein, Spass beiseite.

Tatsächlich ist der filigrane schwarze Steg, der das topmoderne Gebäude mit dem historischen Fort verbindet, aus demselben Material gefertigt.

Das *Fort Saint-Jean* wurde übrigens zusammen mit dem gegenüberliegenden *Fort Saint-Nicolas* im 17. Jahrhundert unter Louis XIV. gebaut – nicht etwa zum Schutz gegen Angreifer vom Meer her, sondern als Reaktion auf einen lokalen Aufstand. Die Kanonen waren denn auch auf die Stadt gerichtet.

Während der Französischen Revolution wurde das Fort als Gefängnis genutzt, in dem unter anderen Louis Philippe II. inhaftiert war.

Im 19. und frühen 20. Jahrhundert wurden hier Rekruten der Fremdenlegion ausgebildet und auf ihren Einsatz in Nordafrika vorbereitet.

Heute ist das Fort Teil des *MuCEM* mit wechselnden Ausstellungen sowie Multimedia-Vorführungen über die Geschichte des Forts.

Unbedingt empfehle ich Ihnen einen Spaziergang durch den zugehörigen *Jardin des Migrations*, wo anhand von 15 Kunstinstallationen Pflanzen und Kulturen des ganzen Mittelmeerraums vorgestellt werden und an die Vermischung der Kulturen erinnern.

Und vielleicht haben Sie auch noch Zeit für einen Besuch im Restaurant und Café der Festung, mit der herrlichen Aussicht über den Hafen.

Damit ist die Führung zu Ende.

N'oubliez pas la guide.»

«Herzliche Gratulation – Sie machen das hervorragend», bedankte sich Suzanne bei Claudine, die ihr verriet, Geschichte zu studieren und diesen Job angenommen habe, um etwas Sackgeld zu verdienen.

Suzanne verzichtete auf den empfohlenen Restaurantbesuch, weil sie noch unbedingt die aktuelle Ausstellung mit dem Titel *Picasso et les Ballets Russes* besuchen wollte.

Ihr war nicht bewusst gewesen, dass der 1881 geborene spanische Meister zwischen 1916 und 1921 Bühnenbilder und Kostüme für vier Aufführungen der *Ballets Russes* entworfen hatte, die als eines der bedeutendsten Ballett-Ensembles des 20. Jahrhunderts gelten.

Den Ausstellungs-Informationen war zu entnehmen, Picasso habe bei dieser Gelegenheit die Tänzerin Olga Stepanowna Chochlowa kennen gelernt, die er schliesslich geheiratet habe.

Voller Eindrücke kehrte Suzanne nach Hause. Obwohl sie rechtschaffen müde war, schrieb sie noch am gleichen Abend für die Berner Zeitung einen Bericht über das *MuCEM* und die Picasso-Ausstellung.

13

Arles, September 2019

Wenige Tag nach der pompösen Abdankungsfeier für den ermordeten Gustave Pierre war das Interesse am aufsehenerregenden Fall bei den französischen Medien weitgehend erloschen.

Suzanne jedoch gab sich nicht zufrieden und war entschlossen, dran zu bleiben. Sie wollte unbedingt wissen, was hinter dieser Tat steckte und was der Mörder für ein Mensch war.

Kurzentschlossen fuhr sie nach Arles, um die Identität des F. D. herauszufinden.

«Was kann ich für Sie tun?», fragte die freundliche Sekretärin im *Hôtel de Ville* an der *Place de la République*.

«Ich habe vernommen, in Arles würden überdurchschnittlich viele Menschen leben, die über 100 Jahre alt seien. Zu diesem Thema möchte ich für eine Schweizer Zeitung einen Bericht schreiben», schwindelte Suzanne und legte ihren Presseausweis auf die Theke.

«Ja das stimmt, Arles scheint tatsächlich gute Voraussetzungen zum Altwerden zu besitzen. Hier lebte bekanntlich auch die 1997 verstorbene Jeanne Calment, die mit 122 Jahren und 164 Tagen immer noch den Weltrekord des höchsten erreichten Lebensalters eines Menschen hält.»

Die redselige Dame hatte Feuer gefangen und Suzanne mimte die interessierte Zuhörerin.

Jeanne Calment habe ihr Alter mit dem regelmässigen Genuss von Olivenöl, Knoblauch, Portwein und Pastis erklärt. Sie sei noch als Hundertjährige Fahrrad gefahren und habe erst mit 117 Jahren das Rauchen aufgegeben.

1965 habe die damals 90-Jährige ihre Wohnung gegen Zahlung einer Leibrente und Einräumung eines lebenslangen Wohnrechts an ihren 47-jährigen Notar verkauft. Dreissig Jahre später sei dieser noch vor dem Tod der Verkäuferin verstorben.

Um die Anschaffung von Kleinbussen für ihr Altersheim zu finanzieren, habe Jeanne Calment noch ein Jahr vor ihrem Tod auf einer CD mit dem Titel *Maîtresse du temps* – Herrin der Zeit, rapähnlich ihre Lebenserinnerungen erzählt.

«Das muss wirklich eine aussergewöhnliche Persönlichkeit gewesen sein», stellte Suzanne anerkennend fest und erkundigte sich, ob die Stadt ein Verzeichnis der lebenden Bewohnerinnen und Bewohner führe, die über 100 Jahre alt seien.

«Selbstverständlich führen wir eine solche Liste und veröffentlichen diese jedes Jahr im offiziellen Bulletin der Stadt. Möchten Sie die letzte Ausgabe mitnehmen?»

«Merci beaucoup», bedankte sich Suzanne, die nicht damit gerechnet hatte, so einfach zur gesuchten Information zu gelangen.

Im nahe gelegenen *Café Vincent van Gogh* bestellte sie eine *Menthe à l'eau* und blätterte eilig im erhaltenen Bulletin.

Bereits auf der dritten Seite wurde sie fündig. Nicht weniger als acht Frauen und zwei Männer im Alter zwischen 100 und 107 Jahren waren aufgeführt, darunter mit Frank Dreyfus der Jüngste, bei dem es sich um den Mörder von Fréjus handeln musste.

14

Toulon, September 2019

Suzanne hatte ihren tomatenroten Renault Clio im Parking an der *Place d'Armes* abgestellt und vertrat sich ein paar Minuten die Beine, bevor sie das Tor zur Haftanstalt an der *Route de la Crau* betrat.

Nach einigem Hin und Her hatte sie endlich die Erlaubnis bekommen, den Untersuchungshäftling Frank Dreyfus zu besuchen.

Im Empfangsraum musste sie sich einer peinlichen Leibesvisitation unterziehen und eine mehrseitige Erklärung unterzeichnen, bevor der junge Wächter sie in die Krankenabteilung des Gefängnisses führte.

«Machen Sie sich nicht zu grosse Hoffnungen», warnte er sie. «Dreyfus verweigert jede Aussage und isst nichts. Er ist total geschwächt, hat sich aber auch gegen eine künstliche Ernährung zur Wehr gesetzt.

Und vergessen Sie nicht: Die Besuchszeit ist auf 45 Minuten beschränkt.»

Der Greis lag auf dem Bett und starrte mit trübem Blick an die Decke. Unter der gelblich gefärbten Gesichtshaut zeichneten sich die Backenknochen und der Unterkiefer ab und die Augen lagen in tiefen Höhlen.

«Bonjour Monsieur.»

Keine Reaktion.

«Ich habe Ihnen die Post mitgebracht, die in Ihrem Briefkasten in Arles steckte.»

«Wer sind Sie?»

«Mein Name ist Suzanne Schneider.»

«Was wollen Sie?»

«Ich interessiere mich für Ihr Leben.»

«Warum?»

«Weil Sie als Hundertjähriger sicher viel zu erzählen haben.»

«Das geht Sie nichts an.»

«Ich schreibe für eine Schweizer Zeitung einen Bericht über hundertjährige Menschen.»

«Ich war nur ein einziges Mal in der Schweiz.»

«Wann war das?»

«Vor dem Krieg – im Sommer 38.»

«Was haben Sie in der Schweiz gemacht?»

«Wir haben einen Kletterkurs besucht.»

«Wo?»

«Im Berner Oberland – Steingletscher.»

«Dann waren Sie sicher auf dem Sustenhorn.»

Dreyfus blickte sie ungläubig an und sie glaubte in seinen Augen ein sanftes Leuchten zu entdecken.

«Kennen Sie die Gegend?»

«Ja, mein Grossvater, der übrigens denselben Jahrgang hat wie Sie und ein begeisterter Berggänger war, hat mich ab und zu mitgenommen.

Er war schon fast achtzigjährig, als wir von der Tierberglihütte aus das Gwächtenhorn und das Sustenhorn bestiegen haben.»

«Tierbergli – Gwächtenhorn – Sustenhorn», wiederholte er mehrmals und liess die Worte völlig auf der Zunge zergehen.

«Im Bulletin der Stadt Arles habe ich gelesen, dass Sie in Paris geboren und aufgewachsen sind.»

Keine Reaktion.

Suzanne befürchtete, mit der Erwähnung von Paris sei der Faden wieder abgebrochen, aber sie glaubte zu spüren, dass er nachdachte.

«Warum sind Sie da?», fragte er nach langem Schweigen.

«Weil Sie als Hundertjähriger sicher viel zu erzählen haben.»

«Das haben Sie schon gesagt, aber es gibt viele hundertjährige Menschen. Warum kommen Sie ausgerechnet zu
mir?»

Suzanne sah ein, dass sie so nicht weiterkommen würde,
und sie entschloss sich, aufs Ganze zu gehen.

«Weil ich wissen möchte, warum Sie Gustave Pierre erschossen haben.»

«Das ist eine lange Geschichte, die 1939 in Grenoble begann.»

Frank Dreyfus schloss die Augen und begann mit monotoner Stimme zu erzählen.

15

Grenoble, September 1939

Frank Dreyfus sass mit seinem Freund André Barre in der Soldatenstube der *Caserne de Bonne* am *Boulevard Gabette*. Die beiden waren im Herbst 1938 in die Rekrutenschule der *Chasseurs alpins*, der französischen Alpenjäger, eingerückt und hatten sich vom ersten Tag an gut verstanden, obschon sie unterschiedlicher nicht hätten sein können.

Einerseits Frank, der feingliedrige blitzgescheite Student aus Paris, anderseits André, der bodenständige schlitzohrige Winzersohn aus der Provence.

In der Soldatenstube hatten sie täglich die neusten Nachrichten in den aufgelegten Zeitungen studiert und die Entwicklung in Europa verfolgt.

Zu Beginn waren sie noch davon ausgegangen, mit dem Abkommen, das der französische Ministerpräsident Édouard Daladier, der britische Premierminister Neville Chamberlain und der italienische Duce Benito Mussolini Ende September 1938 in München mit dem deutschen Reichskanzler Adolf Hitler abgeschlossen hatten, sei die Kriegsgefahr in Europa gebannt.

Am 2. September 1939 fand das Hauptverlesen der Rekrutenkompanie eine Stunde früher als üblich statt.

Aus Lautsprechern tönte blecherne Marschmusik über

den Kasernenplatz und es wurde gemunkelt, Oberstleutnant René Cusenier werde erwartet.

Die Rekruten standen bereits stramm, als der hohe Offizier hoch zu Pferd erschien.

Mit ernster Miene nahm er den Gruss des Kompaniekommandanten ab und setzte zu einer pathetischen Rede an.

«Offiziere, Unteroffiziere und Soldaten! Gestern Morgen um 04.45 Uhr haben deutsche Truppen ohne Kriegserklärung in Danzig Polen angegriffen.

Grossbritannien und Frankreich haben gestern Mittag von Deutschland den sofortigen Rückzug seiner Truppen aus Polen gefordert. Hitler hat jedoch auf das Ultimatum nicht reagiert.

Aus diesem Grunde wird unsere Regierung morgen dem Deutschen Reich den Krieg erklären und die Generalmobilmachung ausrufen.

Ihre Kompanie wird deshalb im Verlauf des morgigen Tages nach Barcelonnette dislozieren und in das 15. Alpenjägerbataillon integriert, das unter meinem Kommando den Auftrag hat, die italienische Grenze zu sichern.

Sie unterstehen ab sofort dem Kriegsrecht, sind zu absoluter Geheimhaltung verpflichtet und unterliegen vorläufig einer Postsperre. Das Vaterland zählt auf Euch! *Vive la France – vive la République!*»

Dann trat ein Geistlicher vor, sprach ein kämpferisches Gebet und bat Gott um seine Hilfe im gerechten Kampf gegen den Feind. Zudem forderte er die Anwesenden auf, ihrerseits um göttliche Unterstützung zu bitten, unabhängig davon, ob sie Christen, Juden, Moslems oder Atheisten seien.

Der Fähnrich verlas die Eidesformel und forderte die Wehrmänner auf, den Eid auf die Verfassung abzulegen.

Schliesslich ertönte aus den Lautsprechern die Nationalhymne. Offiziere, Unteroffiziere und Soldaten sangen tief ergriffen mit – mancher mit Tränen. Die meisten kannten aber nur die erste Strophe und den Refrain.

Allons enfants de la Patrie,
Le jour de gloire est arrivé!
Contre nous de la tyrannie
L'étendard sanglant est levé.
Entendez-vous dans les campagnes
Mugir ces féroces soldats?
Ils viennent jusque dans vos bras
Égorger vos fils, vos compagnes.
Aux armes, citoyens,
Formez vos bataillons,
Marchons, marchons!
Qu'un sang impur
Abreuve nos sillons!

André schlug Frank spontan vor, am letzten Abend vor dem Krieg das Bordell zu besuchen und dieser willigte widerstrebend ein.

Am Eingang hatte jeder zehn Francs zu bezahlen und

konnte sich anschliessend eines der im Salon bereitstehenden Mädchen auslesen.

André, der bereits einschlägige Erfahrungen hatte, steuerte schnurstracks auf eine vollbusige Blonde zu und verschwand mit ihr.

Frank stand unschlüssig da, bis eine zierliche Maghrebinerin lächelnd auf ihn zukam und ihn an der Hand nahm.

Sie führte ihn in ihr Zimmer und forderte ihn auf, sich auszuziehen und am Lavabo mit Seife sein Glied zu waschen.

Als er sich schliesslich umdrehte, lag die Schöne nackt auf dem Bett und begann plötzlich schallend zu lachen.

«Was hast Du?», fragte er unsicher.

«Ich habe noch nie einen beschnittenen Mann gesehen. Bist du Jude?»

«Ja, stört dich das?»

«Nein. Bitte verzeih mir, dass ich lachen musste.»

«Kein Problem!»

«Komm, leg dich zu mir!»

«Ich war noch nie mit einer Frau im Bett!»

«Bist du schwul?»

«Nein!»

«Dann bist du noch keusch?»

«Ja!»

Sie küsste ihn und begann ihn zu streicheln. Zuerst seine Brust, dann seinen Bauch, die Schenkel und schliesslich die Hoden und den Penis.

Er wusste nicht, wie ihm geschah.

«Gefällt es dir?»

«Ja, sehr!»

Unverhofft schoss die Samenflüssigkeit in ihre Hand, was Frank ausserordentlich peinlich war.

«Du brauchst dich nicht zu schämen. Sowas passiert oft beim ersten Mal.
   Das war sozusagen die erste Lektion. Wenn du wiederkommst, werden wir sicher richtigen Sex machen. Für heute aber ist Schluss!»

Glücklich verliess Frank das Bordell, wo ihn André bereits erwartete.

«Wie war es?», wollte dieser wissen.

«Gut!»

«Erzähl!»

«Ich mag nicht!»

André begann seinerseits im Detail zu schildern, was er erlebt hatte und prahlte mit der Nummer, die er abgezogen habe. Frank war sicher, dass sein Freund masslos übertrieb, sagte aber nichts.

Wortlos ging er ins Kantonnement und war froh, beim Einschlafen an das liebe Mädchen zu denken und nicht an den bevorstehenden Krieg.

16

Barcelonnette, Mai 1940

Frank Dreyfus lag grübelnd im Kantonnement auf seinem Bett. Der Krieg, den er verabscheute, machte ihm Angst. Er wollte nicht sterben.

Nach der Invasion der Wehrmacht in Norwegen und Dänemark im April und dem Überfall auf die Niederlande, Belgien und Luxemburg im Mai wurde allgemein mit dem Angriff auf Frankreich gerechnet.

André Barre hatte unverhohlen seine Bewunderung für den erfolgreichen Blitzkrieg der Deutschen gezeigt, was mehrmals zu hitzigen Diskussionen zwischen den beiden Freunden geführt hatte.

Frank hatte aus Briefen seiner Mutter Kenntnis von den Judenverfolgungen der Nationalsozialisten erhalten und machte sich zunehmend Sorgen.

Als er eines Morgens unerwartet zum Küchendienst detachiert wurde und den Auftrag erhielt, Holz zu spalten, überlegte er nicht lange. Kurzentschlossen legte er zwei Finger seiner linken Hand auf den Scheitstock. Obwohl er zitterte, hackte er mit einem Streich die beiden Finger ab und war erstaunt, dass kein Blut spritzte – dann wurde es schwarz vor seinen Augen.

«Wo bin ich?»

«In der Arrestzelle!»

«Warum?»

«Wegen Wehrpflichtentziehung durch Verstümmelung.»

«Das war ein Unfall!»

«Anscheinend besteht eine anderslautende Zeugenaussage.»

«Das glaube ich nicht – ich war allein.»

Noch am gleichen Tag wurde Frank Dreyfus dem Militärrichter vorgeführt.

Sein Freund André Barre habe zu Protokoll gegeben, er habe in letzter Zeit eine pazifistische Einstellung an den Tag gelegt und sich mehrmals kritisch über den Wehrwillen der französischen Regierung geäussert.

Der Angeklagte beteuerte seine vaterländische Einstellung. Er sei bereit, Frankreich zu verteidigen und wenn nötig dafür sein Leben zu lassen. Den Unfall erklärte er damit, dass er handwerklich eher ungeschickt und das Holzspalten überhaupt nicht gewohnt sei.

Anscheinend hatte er sich glaubwürdig verteidigt. Jedenfalls wurde er mangels Beweisen für unschuldig erklärt und aus der Armee ausgeschlossen.

17

Paris, Mai 1940

Eugénie Dreyfus traute ihren Augen nicht, als sie vorsichtig die Türe ihrer Wohnung an der *Rue des Rosiers* im 3. Arrondissement öffnete.

«Frank! Was ist passiert? Bist du desertiert?», fragte sie ihn unsicher.

«Nein! Ich erlitt einen Unfall und wurde deshalb nach Hause geschickt.»

«Der Allmächtige hat meine Gebete erhört!»

Sie fielen sich glücklich in die Arme.

Frank Dreyfus sen. war bis zum Ausbruch des Ersten Weltkriegs, dem *Grande Guerre,* einer der Berater von Léon Blum gewesen, der 1902 mitgeholfen hatte, den *Parti Socialiste Français PSF* zu gründen.

Während des Krieges hatte er als Offizier dem Stab von Marschall Ferdinand Foch angehört, der als Oberbefehlshaber die Alliierten bei den Angriffen kommandiert hatte, welche zur Kapitulation des Deutschen Kaiserreichs und am 11. November 1918 zum Waffenstillstand von Compiègne geführt hatten.

Dreyfus war zwei Tage vor Kriegsschluss bei einem

Scharmützel in der Nähe von Verdun gefallen.

Vier Monate später hatte Frank jun. in Paris das Licht der Welt erblickt.

Die alleinerziehende Mutter hatte ihr einziges Kind, das sie vergötterte, im jüdischen Glauben erzogen und ihm den Besuch des renommierten *Lycée Henri IV* an der *Rue Clovis* ermöglicht und es war ausgemacht, dass er an der Elitehochschule *École normale supérieure* studieren sollte.

Ihr wichtigstes Ziel war gewesen, den Sohn von einer militärischen Karriere abzuhalten. Sie hatte aber nicht verhindern können, dass er in die obligatorische Rekrutenschule einrücken musste.

Mit grosser Sorge hatte sie den sogenannten «Anschluss» Österreichs an das Deutsche Reich im Frühjahr 1939 und die Annexion der sudetendeutschen Gebiete im Herbst desselben Jahres verfolgt.

Verwandte in Berlin hatten ihr bereits 1938 in Briefen von den Attacken gegen jüdische Geschäfte und Restaurants berichtet, bei denen Angehörige der SA und der SS Gäste misshandelt, Mobiliar zerschlagen und Waren geplündert hätten.

Auch dass in Nürnberg, München und Dortmund die Synagogen mit grossem öffentlichem Spektakel niedergerissen worden waren, hatte sie erfahren.

Als dann Deutschland mit bisher unbekannten Blitzkriegen erfolgreich Polen überfallen sowie Dänemark, die Niederlande, Belgien und Luxemburg erobert hatte, war Eugénie Dreyfus klar geworden, dass Hitler früher oder später auch Frankreich angreifen würde.

Sie war deshalb überglücklich, ihren Sohn nun bei sich in Paris und nicht im Krieg zu wissen.

Als es dann Ende Mai der Wehrmacht gelungen war, die englischen und französischen Truppen in Dünkirchen einzukesseln und die Hafenstadt an der südlichen Nordseeküste am 4. Juni einzunehmen, beschlossen Mutter und Sohn, in die Provence zu fliehen.

18

Sanary-sur-Mer, Juni 1940

Eugénie und Frank Dreyfus genossen den gemeinsamen Aufenthalt im kleinen Fischerdorf am Mittelmeer trotz der widrigen Umstände.

Die Bahnreise von Paris über Lyon und Marseille hatte fast 20 Stunden gedauert, weil die Züge alle überfüllt gewesen und immer wieder aufgehalten worden waren.

Sie konnten im Haus von Rechtsanwalt Daniel Cousteau wohnen. Die beiden Familien waren seit Jahren befreundet, Eugénie und Frank sen. hatten hier seinerzeit schon die Flitterwochen und auch später mehrmals Ferien verbracht.

Simone und Jacques-Yves Cousteau, der zweite Sohn von Daniel, hatten sie mit offenen Armen empfangen.

Frank hatte sich rasch mit Jacques-Yves angefreundet und war fasziniert von dessen Tauchversuchen und Unterwasser-Fotografiererei.

Simone klärte Eugénie auf, seit Hitlers Machtergreifung sei Sanary-sur-Mer zu einem regelrechten Anziehungspunkt für viele deutsche Künstlerinnen und Künstler geworden. Unter den Deutschen, die hier im Exil lebten, seien viele Juden, so Lion Feuchtwanger, Arnold und Stefan Zweig, Josef Roth sowie Walter Hasenclever.

Wie eine Bombe schlug am 14. Juni in Sanary-sur-Mer die Meldung ein, die deutschen Truppen seien in Paris einmarschiert und es wurde befürchtet, Deutschland werde nun ganz Frankreich besetzen.

Nachdem auch Italien Frankreich angegriffen hatte und Mussolinis Truppen bis Nizza vorgestossen waren, wurde mit dem Schlimmsten gerechnet.

Mit grosser Sorge wurde zur Kenntnis genommen, der neue Staatschef Marschall Pétain habe Hitler um einen Waffenstillstand gebeten und der deutsche Diktator habe darauf bestanden, für die Verhandlungen den 1918 bei der Unterzeichnung der deutschen Kapitulation verwendeten Eisenbahnwagen aus dem Museum zu holen und wieder auf die Gleise im Wald von Compiègne zu stellen.

Die Waffenstillstandsbedingungen wurden von den Deutschen diktiert und kamen einer Kapitulation Frankreichs gleich.

Dass der am 22. Juni unterzeichnete Vertrag vorsah, der südliche Teil Frankreichs werde nicht besetzt und zur sogenannten «Freien Zone» erklärt, wurde allerdings als kleiner Lichtblick betrachtet.

19

Sanary-sur-Mer, September 2019

Das Erzählen seiner Geschichte hatte Frank Dreyfus ermüdet. Er war mehrmals eingenickt und schliesslich eingeschlafen.

Suzanne hatte sich spontan entschlossen, nach Sanary-sur-Mer zu fahren, wo Dreyfus und seine Mutter seinerzeit Zuflucht gesucht hatten.

Bei ihrer Internet-Recherche hatte sie auf Wikipedia folgende Informationen gefunden:

Sanary-sur-Mer *(provenzalisch Sant Nari de Mar) ist eine französische Gemeinde mit 16 605 Einwohnern (Stand 1. Januar 2017) im Département Var in der Region Provence-Alpes-Côte d'Azur. Sie gehört zum Kanton Ollioules im Arrondissement Toulon.*

Geografie
Sanary ist eine Kleinstadt an der südfranzösischen Mittelmeerküste unweit Toulon im Osten und Bandol im Westen.

Geschichte
Sanary wurde im Jahr 1035 als San Nazari gegründet. Der ursprüngliche, provenzalische Name wurde 1890 in Sanary-sur-Mer geändert.

Im 12. Jahrhundert gab es am heutigen Hafen einen Konvent der Abtei Saint-Victor in Marseille, der dem Heiligen Saint

Nazaire gewidmet war. Ende des 13. Jahrhunderts wurde der unter dem heutigen Namen bekannte «Tour Romane», der als Wehrturm diente, gebaut. 1436 errichtete König René I. eine kleine Garnison, auf deren Turm es, als Zeichen des königlichen Privilegs, ein Taubenhaus gab. Heute ist der Turm in eine Gruppe von Gebäuden, dem «Hôtel de la Tour», integriert, das während der Herrschaft der Nationalsozialisten deutsche Emigranten beherbergte. Seit 1990 befindet sich in den Gebäuden das Museum Frédéric Dumas.

Schon 1907 hatte der Dichter André Salmon die Provence und die Küste zwischen Marseille und Toulon entdeckt und sich in Sanary niedergelassen. Dazu gesellte sich der mit dem Ehepaar Salmon befreundete Maler Moise Kisling. Der Maler Rudolf Levy verbrachte die Sommermonate in Sanary-sur-Mer. Er schätzte vor allem die Schlichtheit der Bewohner und die herrliche Landschaft. Nach dem Ersten Weltkrieg hatten sich viele Maler und Schriftsteller aus ganz Europa hier und in der Nähe angesiedelt, unter ihnen Aldous Huxley und Julius Meier-Graefe mit seiner Partnerin Anne-Marie Epstein, die die ersten deutschen Emigranten empfingen.

Wie Suzanne erwartet hatte, war es kein Problem gewesen, im Zweisternehotel De la Tour am Quai Général de Gaulle ein Zimmer zu bekommen, da die Hauptsaison bereits vorüber war.

«Was für ein Zufall», bemerkte die Dame am Empfang. «Ich heisse auch Suzanne, Suzanne Mercier. Dieses Haus ist seit 1936 im Besitz unserer Familie und ich vertrete im Moment unsere Tochter Géraldine und unseren Schwiegersohn Franck, die für ein paar Tage nach Paris gefahren sind.»

Die Seniorchefin führte Suzanne in das Zimmer im dritten Stock und machte im Vorbeigehen auf die Fotos von illustren Gästen aufmerksam, die im Verlauf der Jahrzehnte im Hause logiert hätten.

«Eigentlich hätten wir schon längst einen Lift einbauen wollen, aber die Denkmalpflege findet, das historische Treppenhaus dürfe nicht verändert werden», hatte sie sich entschuldigt.

1Bis zum Essen hatte Suzanne noch Zeit für einen Spaziergang. Am Hafen stiess sie auf eine Tafel zur Erinnerung an die Schriftstellerinnen und Schriftsteller, die während des Zweiten Weltkriegs auf der Flucht vor der Gewaltherrschaft der Nationalsozialisten in Sanary zusammengetroffen waren.

Im *Office de tourisme* kaufte sie die Informationsschrift *Sur les pas*

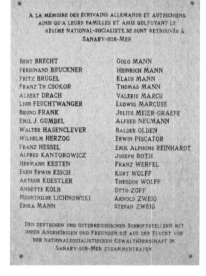

A LA MÉMOIRE DES ÉCRIVAINS ALLEMANDS ET AUTRICHIENS
AINSI QU'A LEURS FAMILLES ET AMIS QUI FUYANT LE
RÉGIME NATIONAL-SOCIALISTE SE SONT RETROUVÉS À
SANARY-SUR-MER

BERT BRECHT	GOLO MANN
FERDINAND BRUCKNER	HEINRICH MANN
FRITZ BRÜGEL	KLAUS MANN
FRANZ TH CSOKOR	THOMAS MANN
ALBERT DRACH	VALERIU MARCU
LION FEUCHTWANGER	LUDWIG MARCUSE
BRUNO FRANK	JULIUS MEIER-GRAEFE
EMIL J. GUMBEL	ALFRED NEUMANN
WALTER HASENCLEVER	BALDER OLDEN
WILHELM HERZOG	ERWIN PISCATOR
FRANZ HESSEL	EMIL ALPHONS REINHARDT
ALFRED KANTOROWICZ	JOSEPH ROTH
HERMANN KESTEN	FRANZ WERFEL
EGON ERWIN KISCH	KURT WOLFF
ARTHUR KOESTLER	THEODOR WOLFF
ANNETTE KOLB	OTTO ZOFF
MECHTHILDE LICHNOWSKI	ARNOLD ZWEIG
ERIKA MANN	STEFAN ZWEIG

DEN DEUTSCHEN UND ÖSTERREICHISCHEN SCHRIFTSTELLERN MIT
IHREN ANGEHÖRIGEN UND FREUNDEN, DIE AUF DER FLUCHT VOR
DER NATIONALSOZIALISTISCHEN GEWALTHERRSCHAFT IN
SANARY-SUR-MER ZUSAMMENTRAFEN

84

des Allemands et des Autrichiens en exil à Sanary 1933–1945.

Auf 120 Seiten des dreisprachigen Taschenbuchs werden einzelne Persönlichkeiten mit Bild und Biografie dargestellt.

Schliesslich begab sich Suzanne auf den interessanten Rundgang, der parallel zum 2004 erschienen Buch angelegt worden ist und auf die Orte hinweist, wo die Emigranten und deren Familien gewohnt haben.

Nach dem ergreifenden Gespräch mit Frank Dreyfus und dem bedrückenden Streifzug durch die Altstadt wollte sich Suzanne ein gutes Essen gönnen.

Im Restaurant des *Hôtel de la Tour* waren nur wenige Tische besetzt.

Zum Einstieg bestellte sie *Marbré de Foie Gras de Canard mi cuit, Petit pain chaud, Marmelade de Mandarine corse.*

Dazu ein Glas *Baume de Venise.*

«Sie sollten unbedingt unsere Hausspezialität *Loup de mer en croûte de Sel* versuchen – Sie werden nicht enttäuscht sein», hatte ihr Bruno, der graumelierte Kellner versprochen.

Als dieser die Silberplatte an den Tisch brachte und die Salzkruste vorsichtig mit einem Hammer zerschlug, konnte sie das Lachen nicht unterdrücken.

Die Dramaturgie schien ihr zwar etwas übertrieben, aber der Fisch war wirklich ein Leckerbissen und der Weisswein von der *Domaine la Suffrène*, den er empfohlen hatte, passte hervorragend dazu.

Schliesslich hatte sich Suzanne auch noch eine *Tartelette fine sablée à la Châtaigne avec Crème fouettée au Rhum* aufschwatzen lassen.

Bevor sie noch einen Kaffee bestellen konnte, kam der Koch aus der Küche und erkundigt sich, ob sie zufrieden gewesen sei.

Augenscheinlich genoss er ihr überschwängliches Lob und war sofort bereit, ihr das Rezept für den Fisch im Salzmantel zu verraten.

«Der möglichst frische Fisch wird zuerst innen und aussen unter fliessendem, kaltem Wasser abgespült, dann mit Haushaltpapier trockengetupft.

In die Bauchhöhle geben Sie zwei Zitronenscheiben, fein gehackten Knoblauch und je ein Zweiglein Thymian und Rosmarin.

Aussen wird der Fisch mit einem guten Olivenöl bestrichen.

Für die Kruste benötigen Sie zirka zwei Kilo grobkörniges Salz, das mit zwei Eiweiss und ein wenig Wasser gut gemischt werden muss.

Etwa ein Drittel dieser Salzmasse wird auf einem mit Backpapier belegten Blech verteilt und der daraufgelegte Fisch mit der restlichen Masse eingepackt.

Die Backzeit im auf 240 Grad vorgewärmten Ofen dauert zirka dreissig Minuten.»

Am darauffolgenden Morgen stand Suzanne früh auf, verzichtete auf das Morgenessen und fuhr zurück nach Toulon, um sich nochmals mit Dreyfus zu treffen.

20

Grenoble, Juni 1940

Fassungslos sass André Barre auf seinem Bett im Kantonnement der *Caserne de Bonne* am *Boulevard Gabette*.

Am Vormittag waren sie orientiert worden, das 15. Alpenjägerbataillon werde sofort aufgelöst, weil Frankreich gemäss dem von Marschall Pétain unterzeichneten Waffenstillstandsvertrag nur noch eine verkleinerte Armee mit 100 000 Mann zugestanden werde.

Beim Mittagessen war eine heftige Diskussion entstanden, die beinahe in einer Schlägerei ausgeartet wäre.

Die einen machten General De Gaulle für das Desaster verantwortlich, weil dieser Friedensverhandlungen mit Deutschland verhindert habe. Wenn der französische Staatspräsident Lebrun rechtzeitig mit Hitler eine Einigung gesucht hätte, wäre die Wehrmacht nicht in Paris einmarschiert und es wäre nicht zur faktischen Kapitulation gekommen, waren sie überzeugt. Nun gehe es darum, aus der Situation das Beste zu machen, die Regierung Pétain zu unterstützen und mit den Deutschen zusammenzuarbeiten.

Die andern bezeichneten Marschall Pétain einen Verräter und glaubten nach wie vor, die französische Armee hätte die nötige Kraft gehabt, die deutschen Truppen wieder aus Paris hinauszuwerfen. Der nach London geflüchtete De Gaulle habe angekündigt, unter dem Namen *Forces françaises libres* eine Freiwilligenarmee zur Bekämpfung Deutschlands und Pétains Marionettenregierung zu bilden. Wer Frankreich liebe, müsse sich jetzt dieser Armee anschliessen.

André hatte sich nicht an der Diskussion beteiligt, war aber schon nach der verlorenen Schlacht von Dünkirchen der Meinung gewesen, Frankreich hätte sich wie Österreich Deutschland anschliessen sollen.

Nun sass er da und wusste nicht, was er nach der Entlassung machen sollte.

Um drei Uhr fand auf dem Exerzierplatz das letzte Hauptverlesen statt.

Der Bataillonskommandant hielt eine kurze Ansprache, dankte den Offizieren, Unteroffizieren und Soldaten für ihren mutigen Einsatz an der italienischen Grenze, wünschte allen für die Zukunft viel Glück und gab der Überzeugung Ausdruck, Frankreich habe zwar eine Schlacht verloren, nicht aber den Krieg.

Dann die letzte Achtungstellung – ABTRETEN!

André schlenderte auf den Bahnhof.

Als nach langem Warten endlich ein Zug anhielt, stieg er ein, ohne zu wissen, wohin er gehen sollte.

Am Bahnhof *Marseille-Saint-Charles* war Endstation. Eine riesige Menschenmenge füllte die Bahnhofhalle. Es wimmelte von entlassenen Wehrmännern, die entweder den Anschluss auf einen Zug suchten, der sie an ihr Ziel bringen sollte, dem Ausgang zustrebten oder unschlüssig herumstanden, werweissend, was sie mit der plötzlich erreichten Freiheit unternehmen sollten.

«Suchst du etwas?», wurde er unverhofft von einem Unbekannten angesprochen.

«Nicht direkt.»

«Weisst du etwa nicht, wohin du gehen sollst?»

«Ja.»

«Ich suche Leute für die zu bildende *Légion des volontaires français*. Interessiert dich das?»

«Was ist das?»

«Das ist eine aus freiwilligen Franzosen bestehende Truppe, welche die französische Regierung bei der Zusammenarbeit mit der deutschen Militärverwaltung unterstützt.»

«Wo müsste ich mich da melden?»

«Draussen wartet ein Bus, der die Interessenten in die Kaserne Avignon bringen wird. Dort erfolgt eine detaillierte Information über den Dienst und die Entschädigung. Dann kannst du entscheiden, ob du unterschreiben willst oder nicht.»

21

Marseille, Oktober 1940

Den Sommer hatten Eugénie und Frank Dreyfus in Sanary-sur-Mer verbracht und die Geschehnisse in Frankreich mit grosser Aufmerksamkeit verfolgt.

Nach der katastrophalen militärischen Niederlage hatte die französische Nationalversammlung Pétain zur Ausarbeitung einer neuen Verfassung ermächtigt.

Damit war das Ende der Dritten Republik und der Beginn des *État français* besiegelt. Der in Zentralfrankreich gelegene Kurort Vichy war faktisch zur Hauptstadt geworden.

Mit Entsetzen hatten Mutter und Sohn die antijüdische Politik der neuen Regierung verfolgt.

Anfangs Oktober war per Gesetz ein Juden-Statut erlassen worden, das den Departementen die Möglichkeit gab, ausländische Juden ohne Angabe von Gründen festzunehmen.

In einer Nacht-und-Nebel-Aktion hatte die Polizei mehrere jüdische Künstlerinnen und Künstler in Sanary-sur-Mer verhaftet und ins Internierungslager *Les Milles*, in der Nähe von Aix-en-Provence verschleppt.

Einigen war es gelungen, nach Grossbritannien oder in die Vereinigten Staaten zu flüchten.

Jüdische Franzosen mussten zwar nicht mit der Internierung rechnen, wurden aber mit dem Juden-Statut von öffentlichen Ämtern, unter anderem von der Armee, vom Unterricht und von den Medien ausgeschlossen.

Eugénie und Frank Dreyfus befürchteten weitere Verschärfungen der Judenpolitik und beschlossen, nach Marseille zu ziehen und dort unterzutauchen.

Die ersten Tage logierten sie im *Hôtel Normandie* am *Boulevard d'Athènes*, in der Nähe des *Gare Saint-Charles*.

Im *Café Riche* an der Ecke *Canebière – Cours Saint-Louis*, einem bekannten Juden-Treffpunkt, bekamen sie den Hinweis, an der *Rue Thubaneau* befinde sich ein regelrechtes Passfälscherzentrum.

Dort trafen sie den österreichischen Karikaturisten Bil Spira, der ihnen neue Identitäten verschaffte.

Von nun an lebten sie als Katholiken mit den Namen Françoise und Frédéric Classon in einer kleinen Wohnung an der *Rue Caisserie*.

22

Marseille, November 1942

Marschall Philippe Pétain hatte sich 1940 von der Nationalversammlung weitreichende Vollmachten geben lassen.

Bald war deutlich geworden, dass der von Hitlers Gnaden regierende Marschall eng mit dem Reich kollaborierte.

Frankreichs Wirtschaft war zusammengebrochen, die Versorgung massiv eingeschränkt und die Bevölkerung litt Hunger.

Das mittelalterliche Korbmacherviertel *Le Panier* hinter dem *Vieux Port* war schon vor dem Krieg ein Hort von Immigranten aus Italien und Korsika gewesen und hatte einen schlechten Ruf.

In den engen Gassen, die von der Polizei kaum kontrolliert werden konnten, blühte das Rotlichtmilieu.

Zwischen Sommer 1940 und Herbst 1942 hatten hier mehrere tausend Menschen Zuflucht gefunden, die vor den Nationalsozialisten geflüchtet waren. Vor allem Juden und Antifaschisten, darunter viele Intellektuelle und Künstler, hielten sich in Marseille versteckt und warteten verzweifelt auf eine Gelegenheit, auf einem Dampfer Platz zu finden, der sie in die Freiheit bringen würde.

Françoise und Frédéric Classon, alias Eugénie und Frank

Dreyfus, hatten sich trotz der anhaltenden Verschärfung der französischen Judenpolitik zum Bleiben entschlossen. Sie glaubten, mit ihren neuen Identitäten nicht wirklich in Gefahr zu sein.

Im März 1941 hatte die Regierung des *État français* einen *Commissaire général aux questions juives* ernannt und diesem die Kompetenz erteilt, nach Gutdünken Polizeikräfte einzusetzen.

Mitte Juli 1942 hatten aus Paris geflüchtete Juden berichtet, die französische Polizei habe mehrere tausend jüdische Frauen, Männer und Kinder festgenommen, welche anschliessend von den Deutschen deportiert worden seien.

Ab August 1942 hatte die französische Polizei auch in der Südzone immer häufiger Razzien gegen nichtfranzösische Juden durchgeführt.

Unbestätigten Gerüchten zufolge seien diese in Eisenbahnwagen zusammengepfercht nach Osteuropa verschleppt worden, wo sie Zwangsarbeit zu leisten hätten.

Während anfangs ausschliesslich arbeitsfähige Männer deportiert wurden, waren später auch alte Menschen, Frauen und Kinder unter den Opfern und der Verdacht verdichtete sich, dass es nicht mehr um reine Arbeitseinsätze gehen konnte.

Am 11. November war eingetreten, was viele befürchtet hatten. Die Bestimmungen des Waffenstillstandvertrags wurden von Hitler und Mussolini über den Haufen geworfen.

Deutsche und italienische Truppen besetzten ganz Südfrankreich und die nach der Kapitulation auf unter 100 000 Mann zusammengeschrumpfte französische Armee wurde aufgelöst.

Marseille wurde besetzt.

Damit war das Pétain-Regime definitiv zu einer Marionettenregierung geworden.

23

Marseille, Januar 1943

«Was ist los?», fragte Frank Dreyfus seine Mutter, die ihn geweckt hatte.

«Zieh dich sofort an. Draussen ist die Hölle los. Unser Wohnungsnachbar hat herausbekommen, die Gestapo habe das ganze Quartier abgeriegelt und französische Polizisten gingen nun von Haus zu Haus.

Die Menschen würden mit Gewalt auf die Strassen getrieben und dürften nur das Allernotwendigste mitnehmen.

Am *Quai des Belges* stünden mehrere hundert Lastwagen bereit, mit denen Männer, Frauen und Kinder weggebracht würden.»

«Mit Gottes Hilfe und unseren neuen Pässen wird uns nichts geschehen!»

Gegen Mittag standen Françoise und Frédéric Classon, alias Eugénie und Frank Dreyfus, frierend in einer Menschenschlange am *Vieux Port,* wo augenscheinlich eine Art Triage stattfand.

Die Mehrheit wurde Richtung *Quai des Belges* geschickt, wo im Minutentakt überfüllte Lastwagen nach Osten abfuhren und leere zurückkamen.

Mutter und Sohn, die ihre gefälschten Pässe schon

lange parat hatten, schauten einander vielsagend an, als sie unter denen, die Richtung *Rue de la République* geschickt wurden, mehrere befreundete Juden erkannten.

«Non, c'est un juif!», hörte Frank plötzlich eine ihm bekannte Stimme.

Das Blut gefror in seinen Adern.

Starr vor Angst blieb er stehen.

André Barre, kam auf ihn zu, grinste triumphierend und drängte die beiden zum Kontrollposten zurück.

«Ist etwas nicht in Ordnung?», wollte der Gestapo-Unteroffizier wissen, der sie eben hatte passieren lassen, nachdem er ihre Pässe und den Inhalt ihrer Koffer kontrolliert hatte.

«Das ist ein Jude», doppelte Barre nach und versicherte, er kenne Frank Dreyfus von der Rekrutenschule bei den *Chasseurs alpins* in Grenoble her, wo sich dieser zwei Finger abgehackt habe, um sich vom Dienst zu drücken.

Dabei fuchtelte er mit seiner Pistole herum und gab zu verstehen, er würde schiessen, wenn Frank weiter lügen würde.

Zwanzig Minuten später sassen Mutter und Sohn zusammengepfercht auf einem offenen Lastwagen, der Marseille Richtung Norden verliess.

Die Fahrt in eine ungewisse Zukunft hatte begonnen und sie befürchteten, Marseille nie wieder zu sehen.

Sie hatten keine Ahnung vom Ausmass der Razzia und wussten nicht, dass an diesem Tag 20 000 Menschen aus dem *Panier* evakuiert worden waren.

Auch dass die Deutschen zwei Tage später, am 24. Januar 1943, das ganze Quartier in die Luft gesprengt und eine Fläche von 40 Hektaren dem Erdboden gleichgemacht hatten, konnten sie nicht ahnen.

24

Marseille, Februar 1943

Stolz und erleichtert meldete sich André Barre bei Josef Darnand, dem obersten Führer der neu gegründeten *Milice française*.

Zwar stand auch die *Légion des volontaires français* bedingungslos hinter der Regierung Pétain und André hatte in den anderthalb Jahren bei der Freiwilligenlegion nie daran gezweifelt, auf der richtigen Seite zu stehen, aber die Aussicht, nach Russland verlegt zu werden, um dort die Wehrmacht im Kampf gegen die Bolschewisten zu unterstützen, hatte ihm ganz und gar nicht gefallen.

Die ausgezeichneten Qualifikationen, die er sich mit absolutem Gehorsam und eiserner Disziplin verdient hatte, waren für die Aufnahme bei der *Milice* ausschlaggebend gewesen.

Seine Erfolge beim Aufspüren «ausländischer Staatsangehöriger jüdischer Rasse» waren den Vorgesetzten rasch aufgefallen.

Er hatte eine eigene Methode entwickelt, um Nachbarn dazu zu bringen, die Verstecke gesuchter Juden zu verraten und dank seines Spürsinns war es ihm mehrmals gelungen, Fluchtversuche zu verhindern.

Gelobt geworden war er jeweils von seinen Vorgesetzten auch, weil er keine Hemmungen gehabt hatte, die nötige

Gewalt anzuwenden, um die Verhafteten zum Besteigen der Eisenbahnwagen zu zwingen. Kein Flehen hatte ihn erweichen können, auch nicht, wenn es sich um Weiber, Alte oder Kinder gehandelt hatte.

Ein Sonderlob hatte er sich bei der Razzia im *Le Panier* hinter dem *Vieux Port* verdient.

Seinen ehemaligen Dienstkollegen Frank Dreyfus hatte er von Weitem an dessen Haltung und dem eigentümlichen Gang erkannt, obwohl sich dieser einen Bart hatte wachsen lassen und sein Gesicht wegen der tief heruntergezogenen Wollmütze fast nicht zu sehen gewesen war.

Auch die gefälschten Pässe hatten Frank und dessen Mutter nichts genützt, weil die zwei fehlenden Finger an der linken Hand den Juden verraten hatten.

Nun freute er sich auf den gut bezahlten Dienst für das Vaterland bei der Miliztruppe, die ähnlich ausgerüstet war wie die deutsche SS.

Die auserwählten Freiwilligen schworen bei «Gott dem Allmächtigen und Allwissenden», die Hierarchie und die Autorität der Vorgesetzten uneingeschränkt anzuerkennen, mit keinem aussenstehenden Menschen über Auftrag und Tätigkeit der Truppe zu reden und wenn nötig beim Kampf gegen das «kommunistische Geschwür» und gegen den «parasitären Zionismus» ihr Leben zu opfern.

Vor der Vereidigung war ihnen klargemacht worden, sie würden die Aufgabe haben, versteckte Juden und Mitglieder der *Résistance* zu ergreifen und an die SS auszuliefern, welche dann für die «Elimination des Ungeziefers» sorgen werde.

25

Marseille, September 2019

Suzanne hatte vor dem Gespräch mit Frank Dreyfus noch nie etwas von der barbarischen Zerstörung des Panier-Quartiers im Zweiten Weltkrieg gehört.

Seit bald zwei Monaten wartete sie auf die Auswertung von Vaters Handy, doch Cousin Rolf vertröstete sie immer wieder und bat um Geduld.

So beschloss sie, sich einmal im Panier umzusehen, um eine Reportage über diesen geschichtsträchtigen Stadtteil zu schreiben.

Zuerst wollte sie einen Überblick über das Quartier gewinnen und stieg deshalb spontan in den kleinen blauweiss bemalten Touristenzug, der am *Vieux Port* bereitstand.

Die 40-minütige Tour führte durch enge Gassen und über steile Strassen. Dazu wurde über einen krächzenden Lautsprecher auf spezielle Gebäude hingewiesen, wie das *Hôtel de Cabre*, das *Hôtel Dieu*, die Kirche *St. Laurent*, das alte Hospiz der *Vieille Charité* und die prächtige *Cathédrale de la Major*.

Suzanne fiel auf, dass in einige Häuser viel Geld investiert worden war.

Weil sie die Touristenrundfahrt etwas zu oberflächlich

empfunden hatte, begab sie sich auch noch zu Fuss auf eine Entdeckungstour und fand bald einmal hinter den schicken Fassaden von einladenden Bars und Restaurants, Boutiquen und Szenenlokalen auch schmutzige Gassen, in denen sich Kehricht auftürmte und es nach Urin und Fäkalien roch.

An der *Rue Saint François* stiess sie auf die *Bar Des 13 Coins*. Sie setzte sich an einen der Tische im Schatten eines alten Baumes und bestellte das auf einer Schiefertafel angepriesene *Assiette de l'Estaque* und einen Viertel Rotwein.

Der reichhaltige Teller mit *Rillettes de sardine, Brandade de morue, Tapenade, Confit d'oignons, Tomates confites* und *Salade verte* mundete ihr hervorragend.

Dazu gab es zwei *Panisses*, eine provenzalische Spezialität, die viele im ersten Moment als *Pommes Frites* halten, in Wirklichkeit aber aus Kichererbsenmehl hergestellt werden.

Ein Mann, der am Nebentisch sass, fragte Suzanne, ob ihr bewusst sei, dass das Lokal im 18. Jahrhundert von einem Schweizer erbaut worden sei, der in Anlehnung an die damals aus 13 Kantonen bestehende Eidgenossenschaft den Namen *Auberge des Treize-Cantons* gewählt habe.

Durch Verwechslung mit dem provenzalischen *Cantoun*, was eben «Ecke» bedeute, sei dann *Treize-Coins* entstanden.

Immerhin habe der angrenzende Platz im Jahr 1927 wieder den ursprünglichen Namen *Place des 13 Cantons* erhalten.

Der redselige Rentner, der offensichtlich recht belesen war, hatte längst gefragt, ob er sich zu Suzanne setzen dürfe. Ihr war das mehr als recht gewesen, denn sie wollte von ihm noch mehr über das Quartier erfahren.

«Die Entwicklung im Panier ist ungesund, aber die Stadtregierung unternimmt nichts gegen die Immobilienlobby – im Gegenteil: Gaudin und seine Bande stecken mit den Spekulanten unter einer Decke!»

«Wie das?»

«Zuerst lassen die Besitzer die Häuser verlottern und vertreiben die Mieterinnen und Mieter aus den günstigen Wohnungen, dann erfolgen Luxusrenovationen oder die Gebäude mit Charme werden abgerissen und durch hässliche Neubauten ersetzt. Die teuren Wohnungen können sich nur noch Leute mit grossem Portemonnaie leisten. Die Fachleute nennen diesen Prozess Gentrifizierung.»

«Aber warum wehrt sich die Bevölkerung nicht gegen diese Machenschaften?»

«Bei einem grossen Teil der Betroffenen handelt es sich um Leute mit Migrationshintergrund, die auf Sozialhilfe angewiesen sind. Aber es gibt schon Menschen, die

Widerstand gegen all den Wahnsinn leisten. Sie sehen ja, dass vereinzelt alte Häuser geblieben sind, deren Eigentümer den Tanz um das goldene Kalb nicht mitmachen – einer dieser sturen Verhinderer sitzt vor Ihnen.»

«Und Sie sagen, diese Entwicklung sei auf die Politik des aktuellen Stadtpräsidenten zurückzuführen?»

«Ja und nein. In Wirklichkeit hat alles schon viel früher begonnen. Wahrscheinlich ist Ihnen bekannt, dass die 1943 von Hitler angeordnete Zerstörung des Quartiers von der französischen Polizei ausgeführt worden ist.

Später ist bekannt geworden, die damalige Stadtregierung selbst habe Pläne gehabt, die vorgesehen hätten, dieses Viertel umzukrempeln. Insofern kamen die Deutschen den Interessen der Politiker und der Immobilien-Spekulanten entgegen.

Unmittelbar nach dem Krieg sind dann auf der zerstörten Fläche moderne Apartmenthäuser errichtet worden.»

«Ist das Panier das einzige Quartier, das von dieser Gentrifizierung betroffen ist?»

«Nein, überhaupt nicht! Jetzt ist Noailles dran, das Quartier südlich der *Canebière*.

Nach dem Einsturz der Häuser an der *Rue d'Aubagne* mit acht Todesopfern wurden Krokodilstränen vergossen, dabei kam das den Spekulanten eben recht.

Mit der Begründung, man wolle weitere Unfälle vermeiden, hat die Stadt in der Zwischenzeit mehr als 2200

Menschen aus ihren Wohnungen zwangsevakuiert.

Gaudin hat damit der Baulobby in die Hand gespielt und die Drecksarbeit erledigt – jetzt sind die Häuser leer und die Projekte können umgesetzt werden.»

«Aber die Evakuierten lebten doch objektiv gesehen in Gebäuden, die ebenfalls hätten einstürzen können.»

«Natürlich! Das gehört ja zur Methode! Schon vor ein paar Jahren kam ein unabhängiger Gutachter zum Schluss, in Marseille lebten etwa 100 000 Menschen in ungesunden, unwürdigen Verhältnissen, weil gegen 40 000 Wohnungen in schlechtem Zustand oder gar einsturzgefährdet seien.

Dazu kommen noch 12 000 Obdachlose.

Um eine Wohnung mieten zu können, muss man eine hohe Kaution hinterlegen und mindestens das dreifache der Miete verdienen.

Doch das können viele Leute nicht.

Neuerdings lassen anscheinend skrupellose Eigentümer durch Strohmänner die heruntergekommenen Wohnungen wochenweise, völlig überteuert vermieten.»

«Das müsste doch einen Aufstand geben. Wenn alle Betroffenen und diejenigen, die das ungerecht finden, zusammenstehen würden, müsste die Stadt doch handeln!»

«Ja, es brodelt. Die Märtyrer der *Rue d'Aubagne* haben die Menschen bedrückt, betroffen und wütend gemacht.

Initiativen wurden gegründet, Kundgebungen haben stattgefunden und öffentliche Versammlungen wurden abgehalten.

Ändern lässt sich die Situation aber nur, wenn die Opposition im nächsten Frühling die Wahlen gewinnt.

Daran glaube ich zwar noch nicht – aber hoffen dürfen wir, die Hoffnung stirbt bekanntlich zuletzt!»

26

Lourmarin, September 2019

«Oui, c'était mon père!»

Suzanne blieb fast die Luft weg.

Sie war nach Lourmarin gefahren, weil die Kulturredaktion in Bern einen ganzseitigen Bericht zum 60. Todestag von Albert Camus plante und Fotos von seinem Grab und vom Haus brauchte, das der Schriftsteller bewohnt hatte.

Sie hatte ihren tomatenroten Renault Clio vor dem Dorf parkiert und war den schmalen Weg hinauf geschlendert, der zur *Église Saint-André et Saint-Trophime* führt und nicht etwa *Chemin Albert Camus,* sondern *Rue Albert Camus* heisst.

«Können Sie mir sagen, wo Albert Camus gewohnt hat?», hatte Suzanne die Frau gefragt, die ihr entgegengekommen war.

«Sie stehen vor dem gesuchten Haus», hatte die knappe Antwort gelautet.

«Haben Sie ihn gekannt?», hatte Suzanne darauf nichtsahnend gefragt.

Als ihr bewusst geworden war, dass Catherine Camus,

108

die Tochter von Albert Camus, vor ihr stand, war sie sprachlos. Bevor sie imstande gewesen wäre, nur eine einzige zusätzliche Frage zu stellen, war die Frau verschwunden, ohne sich zu verabschieden.

Albert Camus hatte das Haus 1958, zwei Jahre vor seinem Tod, erworben.

Er hatte das ehemalige Waldenserdorf bei einer Schriftstellertagung kennen gelernt – zu einer Zeit also, als Lourmarin noch nicht versnobt war.

Die deutsche Literaturkritikerin Iris Radisch schrieb in ihrer 2013 erschienenen Camus-Biografie, Lourmarin sei für Camus zu einer Metapher für den «mittelmeerischen Geist» geworden.

Seit 1992 wohnt nun die 1945 geborene Catherine Camus im Haus hinter dem schweren Holztor an der *Rue Albert Camus*.

Hier verwaltet sie zusammen mit einem jungen Sekretär das Werk ihres Vaters.

Albert Camus wurde am 7. November 1913 auf einem Weingut im äussersten Nordosten Algeriens geboren.

Sein Vater, der auf dem Gut als Kellermeister arbeitete, musste im Ersten Weltkrieg für die französische Armee an die Front, wo er verwundet wurde und 1914 an den Folgen der Verletzungen starb.

Seine Mutter zog daraufhin zu ihrer in Algier wohnenden Grossmutter, wo Albert zusammen mit seinem älteren Bruder Lucien die Schule besuchte.

Von 1933 bis 1936 studierte er an der Universität Algier Philosophie.

Hier lernte er die aus der algerischen Oberschicht stammende Simone Hié kennen, die er 1934 heiratete.

Die kinderlose Ehe wurde nach sechs Jahren geschieden und Camus heiratete die Mathematiklehrerin Francine Faure, die ihm 1945 die Zwillinge Catherine und Jean schenkte.

Bis zu seinem Tod hatte er stets eine oder mehrere Geliebte, so die beiden französischen Schauspielerinnen Maria Casarès und Catherine Sellers.

Schon mit 17 Jahren war Camus an Tuberkulose erkrankt und musste immer wieder längere Kuraufenthalte in Sanatorien verbringen.

Wegen seiner Krankheit wurde er zu Beginn des Zweiten Weltkriegs als dienstuntauglich erklärt.

Während der Besetzung Frankreichs durch die deutschen Truppen schloss sich Camus der von Henri Frenay geleiteten Widerstandsgruppe *Combat* an und war massgeblich an der Herausgabe der Untergrundzeitung gleichen Namens beteiligt, die zeitweise eine Auflage von 300 000 Exemplaren erreichte.

1938 entstand sein erstes Drama «Caligula». Neben seinen Dramen begründeten der Roman «Der Fremde» und der Essay «Der Mythos von Sisyphos» sein literarisches Ansehen.

1957 erhielt Camus den Nobelpreis für Literatur «für seine bedeutungsvolle literarische Schöpfung, die mit scharfsichtigem Ernst die Probleme des menschlichen Gewissens in unserer Zeit beleuchtet».

Am 4. Januar 1960 starb Camus bei einem Autounfall auf der ehemaligen Route Nationale 5 in der Nähe von Villeblevin.

Obwohl Camus bereits ein Bahnbillett gelöste hatte, war er von Michel Gallimard, einem Neffen seines Verlegers, zur Autofahrt von Lourmarin nach Paris überredet worden.

Bei übersetzter Geschwindigkeit von 180 Stundenkilometern platzte auf der winterlich nassen Landstrasse ein Hinterreifen, der Facel Vega FV kam ins Schleudern und prallte gegen einen Baum.

Camus war sofort tot, Gallimard starb zehn Tage später an seinen Verletzungen.

Michel Gallimards Frau Janine und ihre Tochter Anne überlebten im Fonds des Unfallwagens beinahe unverletzt.

In einem 2013 erschienenen Buch behauptet der italienische Autor Giovanni Catelli, Camus sei ein Opfer des damaligen sowjetischen Geheimdienstes KGB gewesen und in Wahrheit von französischen Geheimagenten getötet worden.

Die Autoreifen seien so präpariert gewesen, dass diese bei hoher Geschwindigkeit platzen würden.

Catelli stützt seinen Verdacht auf Auszüge aus dem Tagebuch des tschechischen Übersetzers und Dichters Jan Zábrana, der sich seinerseits auf Aussagen eines verstorbenen sowjetischen Funktionärs beruft.

Tatsächlich hätten sowohl die Sowjetunion als auch Frankreich Gründe gehabt, den Nobelpreisträger zu beseitigen.

Camus hatte die Sowjetunion wiederholt vehement kritisiert, 1956 offen mit dem ungarischen Aufstand sympathisiert und den russischen Schriftsteller Boris Pasternak unterstützt, der vom Sowjetregime drangsaliert worden war.

Im Zusammenhang mit dem Algerienkrieg verärgerte er beide Seiten. Das offizielle Frankreich, weil er die politische Gleichstellung der Algerier forderte – die Algerier, weil er sich gegen ein unabhängiges Algerien aussprach.

Albert Camus ist auf dem Friedhof in Lourmarin beigesetzt worden.

Suzanne war vom schlichten Grab ebenso überrascht wie beeindruckt.

Einzig eine einfache Kalksteinplatte mit seinem Namen sowie dem Geburts- und Todesjahr ziert seine letzte Ruhestätte.

Staatspräsident Nicolas Sarkozy wollte 2009 die sterblichen Überreste von Albert Camus zu dessen 50. Todestag nach Paris in das Panthéon überführen und in der nationalen Ruhmeshalle bestatten.

Catherine Camus hatte dieser Umbettung zugestimmt, doch ihr Zwillingsbruder war dagegen.

Er wollte die «Instrumentalisierung» und «Vereinnahmung» seines Vaters durch Sarkozy verhindern.

27

Interlaken, Oktober 2019

Suzanne sass im Frühstücksraum der *Backpackers Villa Sonnenhof* an der *Alpenstrasse* beim grosszügigen Frühstück mit frischen und regionalen Produkten und verfolgte das Kommen und Gehen der multikulturellen Gästeschar.

Vor einer Woche hatte ihr Cousin Rolf endlich mitgeteilt, er habe die Auswertung von Vaters Handy erhalten und möchte ihr diese persönlich erläutern.

Am Vortag war sie mit dem TGV, der den Bahnhof *Marseille-Saint-Charles* um 13.47 Uhr verlassen hatte, nach Genf, dann mit dem IC nach Bern und schliesslich nach Interlaken gefahren, wo sie kurz nach halb neun Uhr angekommen war.

Sie hatte sich für den *Sonnenhof* entschieden, weil diesem gemäss einem kürzlich erschienen Zeitungsbericht bereits mehrmals der «Hoscar Award für das beste Hostel der Schweiz» verliehen worden war.

Nach dem Frühstück spazierte sie der *Höhematte* entlang und stellte erfreut fest, dass im Kunsthaus eine Sonntagsvormittags-Führung angesagt war.

Auf dem Plakat unter dem Titel «Erste Hilfe» war eine junge Frau im Spitalhemd mit einer medizinischen Halskrause und einem Pflaster auf der Nase abgebildet.

Spontan schloss sich Suzanne der kleinen Gruppe an, die von Kurator Heinz Häsler durch die Ausstellung geführt wurde.

«Zu sehen sind in den verschiedenen Räumen Werke einer Künstlerin und von sechs Künstlern, die seit der Gründung vor zehn Jahren im Kunsthaus ausgestellt waren. Sie haben uns geholfen, dass wir heute beim Publikum und in der nationalen Kunstszene einen guten Ruf haben. Dabei bildet die Ausstellung eine Zusammenfassung der Kunst zwischen 1970 bis 1990», begann Häsler seine Ausführungen.

Besonders beeindruckten Suzanne die Fotos von Manon, von der auch das Plakatbild stammte.

Die Künstlerin zeigt mit erotischen, ästhetisch vollendeten Selbstinszenierungen die Veränderung und Vergänglichkeit der Frau.

Am Mittag schlenderte sie über den weitherum bekannten *Höheweg* und staunte ob der grossen Zahl asiatischer und arabischer Touristen.

Bereits im Hostel hatte sie die Werbung für die in Interlaken allgegenwärtigen Paragliding-Tandemflüge studiert und sich gefragt, ob sie so was wagen sollte.

Am «Meeting Point» vor dem Restaurant *Des Alpes* liess sie sich von einer aufgestellten Frau die verschiedenen Angebote erläutern und war von sich selbst überrascht, dass sie sich ohne zu zögern für einen «Big Blue» zum Preis von 170 Franken entschied.

Mit einem kleinen Bus wurde sie in rund 20 Minuten nach *Beatenberg Amisbühl* gefahren.

Eh sie Zeit hatte, ihren unüberlegten Entschluss zu bereuen, war sie vom jungen Piloten instruiert und startbereit gemacht worden.

Ein paar Schritte den sanft geneigten Hang hinunter und schon hoben die beiden ab und Suzanne genoss das einmalige Gefühl in vollen Zügen.

Nach zirka einer Viertelstunde war der Spuk schon wieder vorbei und sie sank nach der problemlosen Landung glücklich ins Gras.

Am Abend traf sich Suzanne dann mit Rolf im Restaurant *Tenne*, das nur wenige Fussminuten vom Hostel entfernt liegt.

Er schlug zur Vorspeise einen Rucolasalat mit Tomaten und Parmesan und zum Hauptgang ein Angusbeef-Filet an Pfeffersauce mit Rosmarinkartoffeln vor.

Zudem bestellte er eine Flasche *Nebbiolo*.

«Ich habe diesen tanninreichen, ausdrucksstarken Wein kürzlich auf einer Weinreise im Piemont entdeckt», erklärte er ihr stolz.

«Ich verstehe nicht viel von Wein, aber diesen finde ich tatsächlich gut.»

«Nebbia heisst auf italienisch Nebel und der Name deutet auf den weisslichen Schimmer hin, der sich auf den dickschaligen Beeren bei Vollreife bildet.»

«Schon gut, aber mich interessiert eigentlich viel mehr, was bei der Untersuchung von Vaters Handy herausgekommen ist.»

Rolf schien leicht beleidigt zu sein, dass sein Wissen nicht die nötige Anerkennung fand. Er vertröstete sie auf nach dem Essen.

«Zuerst geniessen wir noch ein Dessert.»

Die Bedienung hatte ihnen verraten, dass der Koch auf besonderen Wunsch einer Gruppe ausnahmsweise eine Zabaione zubereite und sie auch davon bestellen könnten.

«Diese Gelegenheit müssen wir nutzen», meinte Rolf.

«Zabaione findet man heute kaum mehr auf einer Speisekarte, weil diese italienische Spezialität, bei der zuerst Eigelb und Zucker schaumig geschlagen und dann Marsala daruntergezogen wird, frisch zubereitet und sofort serviert werden muss», dozierte er weiter.

Erst bei Kaffee mit *Grappa di Nebbiolo da Barolo* öffnete er seine Mappe und verriet ihr die Resultate der Handy-Untersuchung.

28

Interlaken, Oktober 2019

«Onkel Robert hat sich in den Tagen vor seinem Tod nicht sehr viel bewegt», begann Rolf seine Erläuterungen. «Entweder blieb er die ersten zwei November-Wochen zu Hause, oder er hat sein mobiles Telefon daheim gelassen, wenn er fortgegangen ist. Die erste Bewegung wurde am Dienstag, 14. November registriert.

Aufmerksam studierte Suzanne das detaillierte Bewegungsprotokoll ihres Vaters.

14.11.2018	07.30	*Autofahrt*	*Boulevard de la Grotte Rolland*
			Pointe Rouge
			Avenue du Prado
	07.54	*Ankunft*	*Avenue de la Timone* (Marseille 10)
14.11.2018	09.12	*Autofahrt*	*gleiche Strecke retour*
	09.34	*Ankunft*	*Boulevard de la Grotte Rolland*
18.11.2018	10.49	*Autofahrt*	*Boulevard de la Grotte Rolland*
			Pointe Rouge
			D559
	11.07		*n.n.*
	11.13	*Autofahrt*	*D559*
	11.33	*Ankunft*	*Boulevard Bertolucci* (La Ciotat)

«Was bedeutet n.n.?», wollte Suzanne von ihrem Cousin wissen.

118

«Das heisst, das Handy war zeitweise in keinem Netz eingeloggt und konnte deshalb nicht geortet werden.»

18.11.2018	14.07	Autofahrt	Boulevard Bertolucci (La Ciotat)
			A50
			A55
	14.52	Ankunft	Avenue Salengro (Marseille 15)
18.11.2018	15.17	Autofahrt	Avenue Salengro (Marseille 15)
			A55
			A50
	15.46	Ankunft	Boulevard de la Grotte Rolland
19.11.2018	06.07	Autofahrt	Boulevard de la Grotte Rolland
			Point Rouge
			Castellane
	06.39	Ankunft	Parking Vieux Port (Marseille 1)
19.11.2018	06.43	zu Fuss	Parking Vieux Port (Marseille 1)
	06.47	Ankunft	Quai des Belges (Marseille 2)
19.11.2018	07.02	zu Fuss	Quai des Belges (Marseille 2)
	07.07	Ankunft	Parking Vieux Port (Marseille 1)
19.11.2018	07.13	Autofahrt	Parking Vieux Port (Marseille 1)
			Avenue du Prado
			D559
	07.31		n.n.
	09.22	Autofahrt	D559
			Cassis
	09.47		n.n.

«Das war offensichtlich seine letzte Fahrt, die Fahrt in den Tod», brach es aus Suzanne heraus und Tränen flossen ihr über die Wangen.

Rolf nahm sie wortlos in seine Arme und versuchte sie so zu trösten.

«Gemäss Polizeirapport haben sie Vater zwischen Cassis und La Ciotat im Meer gefunden. Er soll auf der schmalen *Route des Crêtes* in einer Kurve die Herrschaft über seinen Wagen verloren haben – aber da stimmt etwas nicht!»

«Was soll deines Erachtens nicht stimmen?»

«Die Fahrt vom *Vieux Port* über die D559 nach Cassis dauert normalerweise zirka 40 Minuten. Wenn das Bewegungsprotokoll stimmt, war er jedoch mehr als zwei Stunden unterwegs!»

«Du hast recht. In der Zeit zwischen 07.31 Uhr, wo die Ortung unterbrochen wurde, und 09.22 Uhr, wo sein Handy wieder eingeloggt wurde, muss er eine Pause gemacht haben.»

«Oder er wurde auf- beziehungsweise festgehalten!»

«Du meinst, er sei gekidnappt worden?»

«Ich weiss es nicht, aber ich werde herausfinden, was am 19. November 2018 passiert ist!»

29

Marseille, Oktober 2019

«Ich befürchte, diese Aufzeichnungen werden uns nicht viel weiterbringen», meinte Henri bedauernd.

Unmittelbar nach ihrer Rückkehr aus der Schweiz hatte Suzanne den rätselhaften Detektiv angerufen und ihn um ein Rendezvous gebeten.

Auf sein Drängen hin hatte sie ihm von der Handy-Auswertung erzählt, worauf er vorgeschlagen hatte, sie am *Cours Julien* zu treffen.

Nun sassen sie im Restaurant *Jardin d'à Côté* beim Kaffee.
  Gleich bei der Begrüssung hatte er sich als Henri vorgestellt, aber sie fragte sich, ob das wirklich sein richtiger Name sei.

«Wo der silbergraue Citroën C3 Ihres Vaters am 19. November gefunden worden ist, wissen wir», meinte er nach einer Weile. «Aber wo er sich an diesem verhängnisvollen Montag zwischen 07.31 Uhr und 09.22 Uhr aufgehalten hat, das ist die grosse Frage. Sie kennen die D559, das ist eine verlassene Gegend, *vers les rivières cachées,* wie wir Franzosen sagen. Dort kann allerlei passieren – vielleicht hat sich Ihr Vater dort auch nur zum Schlafen hingelegt.»

«Das glaube ich nicht!»

«Was glauben Sie denn?»

«So wie ich meinen Vater gekannt habe, hätte er niemals dort oben angehalten, um zu schlafen. Ich gehe davon aus, dass er die Fahrt nicht freiwillig unterbrochen hat.»

«Vielleicht haben Sie recht, aber es dürfte schwierig, wenn nicht unmöglich sein, hinter dieses Rätsel zu kommen. Wo soll mit der Suche nach Spuren begonnen werden? Die Strecke ohne Handy-Empfang dürfte mehrere Kilometer messen!»

«Und was ist mit den vorangegangenen Fahrten?»

«Am Tag vor seinem Tod, also am 18. November, hatten wir unsere Besprechung in La Ciotat, von der ich Ihnen berichtet habe. Anschliessend ist er offenbar direkt zur Redaktion von *La Provence* an der *Avenue Roger Salengro* gefahren, um dort den Text abzugeben, den ich ihm anvertraut hatte.»

«Dann bleibt noch die Fahrt vom 14. November nach Marseille an die *Avenue de la Timone*. Was wollte er wohl dort?»

«Die *Avenue de la Timone* ist zirka einen Kilometer lang – mir ist dort nur das unübersehbare Hochhaus der *Gendarmerie Nationale* bekannt ...»

«... ja natürlich, dort war ich ja im Herbst selbst zwei Mal – aber was hat Vater dort gesucht?»

«Keine Ahnung. Ich denke jedoch, das herauszufinden dürfte ein Leichtes sein. Fragen Sie dort doch ganz einfach nach!»

30

Marseille, Oktober 2019

Anders als bei den Besuchen im November 2018 war Suzanne bei der *Gendarmerie Nationale* an der *Avenue de la Timone* ausgesprochen höflich empfangen worden.

Sie hatte sich am Vortag telefonisch angemeldet und ihr Anliegen dargelegt.

Nun sass sie in einem kleinen Besprechungszimmer und wartete nervös und gespannt auf das, was kommen würde.

Nach kurzer Zeit traten zwei Beamte in Zivil ein, reichten ihr die Hand und begrüssten sie freundlich – eine Spur zu freundlich für Polizisten, wie sie fand.

«Ja, wir hatten im letzten Herbst hier eine Besprechung mit Ihrem Vater», begann der kleine rundliche Beamte das Gespräch.

Er berichtete ihr vom Skandal, den Robert Schneider mit der Veröffentlichung der Lebensgeschichte einer gewissen Carmen-Olga García ausgelöst hatte, welche nicht weniger als drei Männer auf heimtückische Art und Weise ermordet habe.

Weil eines der Opfer Frédéric Hulot, der damalige Chef der *Gendarmerie Nationale* gewesen sei, hätten sie den Auftrag erhalten, die näheren Umstände und die Hintergründe des perfekten Mordes zu klären.

«Wir haben Robert Schneider als einen netten Menschen kennen gelernt, der sehr kooperativ gewesen ist», versicherte der grosse schlanke Polizist.

«Wir hätten nie gedacht, dass er ein paar Tage später betrunken einen tödlichen Unfall verursachen könnte», ergänzte der andere.

«Ich bezweifle, dass es ein Unfall war!»

«Warum?»

«Weil es zu viele Ungereimtheiten gibt!»

«Was für Ungereimtheiten?»

«Darüber möchte ich im Moment nicht reden», wich Suzanne aus, weil sie ein ungutes Gefühl hatte. Irgendwie traute sie den beiden Polizisten nicht.

«Vertrauen Sie uns nicht?», fragte der Kleinere, als hätte er ihre Gedanken gelesen.

«Nein, es geht nicht um Misstrauen.»

«Warum wollen Sie uns denn nicht über Ihre Zweifel informieren?»

«Weil ich mir das vielleicht nur einbilde», antwortete sie schlagfertig.

«Warum sind Sie denn hierhergekommen?»

«Mich hat interessiert, aus welchem Grund mein Vater kurz vor seinem Tod bei Ihnen war.»

«Nun wissen Sie das. Können wir sonst noch etwas für Sie tun?»

«Nein, ich danke Ihnen.»

«Gedenken Sie, noch sonst etwas zu unternehmen?»

«Nein, ich lasse die Sache wohl beruhen – Vater wird ja damit nicht mehr lebendig.»

«Sollten Sie weitere Fragen haben, dann melden Sie sich ungeniert.»

«Besten Dank. Könnten Sie mir bitte Ihre Visitenkarten geben?»

«Wir haben keine Visitenkarten.»

Suzanne schien, die beiden seien kurz unsicher gewesen und hätten mit der Antwort einen kleinen Moment zu lange gezögert.

Sie tat, als hätte sie dies nicht bemerkt, und verabschiedete sich.

«Ach, wie dumm. Ich habe ganz vergessen, die beiden netten Polizisten nach ihren Namen zu fragen, dabei habe ich doch versprochen, ihnen meine Unterlagen zuzustellen», flunkerte Suzanne an der Réception und sie konnte den jungen Gendarmen tatsächlich dazu bewegen, ihr die beiden Namen sowie die direkten Telefonnummern und E-Mail-Adressen zu notieren.

Olivier Durand hiess demnach der Kleine, Laurent Thomas der Grosse.

31

Marseille, Dezember 2018

«Kannst du für uns eine Vorschau auf die Kommunalwahlen in Marseille schreiben?», hatte die Sekretärin der
Auslandredaktion der Berner Zeitung gefragt.

«Bis wann muss ich das Manuskript übermitteln?»

«Bis in zwei Wochen. Geht das?»

Suzanne hatte zugesagt, denn sie war auf einen minimalen Verdienst angewiesen.

Als politisch Interessierte, die seinerzeit als Vertreterin
der JUSO in Ostermundigen ins Gemeindeparlament gewählt worden war, hatte sie mitbekommen, dass im März
2020 das Stadtpräsidium in Marseille neu zu besetzen
sein würde. Aber sie hatte keinen Schimmer über die
Ausgangslage.

Auf den Webseiten der verschiedenen Parteien und meh-
rerer Zeitungen suchte sie die nötigen Informationen zusammen.

Als Favoritin wurde mehrheitlich die von der rechtsbürgerlichen Sarkozy-Partei *Les Républicains* nominierte Martine Vassal genannt.

Protegiert wurde sie schon seit Längerem vom 80-jäh-
rigen Stadtpräsidenten Jean-Claude Gaudin, der nach 25

Amtsjahren nicht mehr antreten wird.

Vassal, die Gaudin bereits als Präsidentin des Departements und der Agglomeration gefolgt war, wird denn auch oft als dessen «Erbin» verhöhnt.

Uneinheitlich wurden in den Kommentaren die Chancen des als Haudegen geltenden Stéphane Ravier eingeschätzt, der das *Rassemblement National* bereits im Senat vertritt.

Die rechtsextreme Partei ist seinerzeit von Jean-Marie Le Pen als *Front National* gegründet und unter der aktuellen Präsidentin Marine Le Pen 2018 mit dem Ziel umbenannt worden, sich von ihrem Vater und dessen rassistischem, reaktionärem, antisemitischem und fremdenfeindlichem Ruf zu distanzieren.

Nachdem das *Rassemblement National* bei den Europawahlen im Mai 2019 in Marseille überraschend mit fast 30 Prozent der Stimmen und rund 10 Prozent vor der Partei von Emmanuel Macron auf dem ersten Platz gelandet war, wagten nicht einmal die Fachleute eine Prognose.

Wenige Monate vor den Wahlen war die Sammelbewegung *Printemps Marseillais* aus der Taufe gehoben worden.

Nach langwierigen Verhandlungen haben sich ein Dutzend Gruppierungen, darunter der *Parti socialiste,* der *Parti communiste* und sogar die vom linksradikalen Jean-Luc Mélenchon geführte *La France Insoumise* zu einem Bündnis zusammengerauft.

Zur Spitzenkandidatin wurde die grüne Dissidentin und praktizierende Ärztin Michèle Rubirola erkoren.

In den Wahlumfragen wurde dem neuen Bündnis um die 16 Prozent der Stimmen vorausgesagt.

Suzanne war aufgefallen, dass verschiedene Journalistinnen und Journalisten von den Kandidierenden die Offenlegung ihrer Vermögensverhältnisse gefordert hatten. Offensichtlich hing dies mit zahlreichen Enthüllungen zusammen, bei denen verschiedene Amtsträger als Eigentümer von verwahrlosten Stadthäusern entlarvt worden waren.

Die Bevölkerung hatte auf diese Informationen sensibel bis wütend reagiert und den Betroffenen Bodenspekulation auf dem Buckel der schwachen Mieterinnen und Mieter in den Armenvierteln vorgeworfen.

Als einzige Gruppierung hatte *Printemps Marseillais* ihre Kandidierenden zur vollen Transparenz verpflichtet.

Wer sich dafür interessierte, konnte nun im Internet beispielsweise nachlesen, die Spitzenkandidatin Michèle Rubirola sei seit 2002 im Besitz einer Wohnung im Wert von 350 000 Euro und seit 2018 eines Ferienhauses im Wert von 250 000 Euro, auf dem eine Hypothek von 227 000 Euro laste. Dazu kämen zwei Bankkonti im Inland mit einem Bestand am Stichtag von total 25 500 Euro, jedoch keine ausländischen Konten oder Wertschriften.

32

Marseille-Cassis, November 2019

Fünfmal war Suzanne auf der D559 über den 327 Meter hohen *Col de la Gineste* gefahren, ohne einen Hinweis zu finden, wo ihr Vater hätte festgehalten werden können.

Bei der ersten Fahrt hatte sie sich auf ihr Handy konzentriert, um den Anfang und das Ende der empfangslosen Strecke zu finden.

Sie hatte festgestellt, dass das Empfangsloch eine Ausdehnung von knapp sechs Kilometern aufwies – beidseitig der Passhöhe je etwa drei Kilometer.

Bei den nächsten zwei Fahrten hatte sie auf mögliche Anhaltemöglichkeiten geachtet. Sie war mehrmals ausgestiegen, war jedoch zum Schluss gekommen, keine der Stellen seien geeignet für eine Entführung.

Während den Fahrten vier und fünf beobachtete sie die nähere Umgebung der Strasse, aber auch dabei fiel ihr nichts auf.

Als sie zum sechsten Mal die Passhöhe erreichte, fuhr sie resigniert auf den leeren, etwa 50 Meter langen Parkplatz, stellte den Motor ab und stieg aus.

Sie war drauf und dran, die Suche aufzugeben, als sie in zirka 300 Metern Entfernung eine kleine Häusergruppe entdeckte.

Suzanne schöpfte augenblicklich neue Hoffnung und

glaubte zu spüren, einen Schritt weiterzukommen.

Sie schloss ihren tomatenroten Renault Clio ab.

Die Gebäude machten einen heruntergekommenen Eindruck und schienen unbewohnt zu sein.

Eine verwilderte Katze rannte miauend in grossen Sprüngen davon, als sich Suzanne näherte.

Sie ging von einem Haus zum andern ohne zu wissen, was sie eigentlich suchte, aber sie rechnete intuitiv damit, auf irgendeine Spur zu stossen, die ihr helfen könnte, das Rätsel über das Schicksal ihres Vaters zu lösen.

Die meisten Türen waren abgeschlossen, einzelne konnte sie öffnen. Sie stiess jedoch nur auf leere Räume.

Es roch nach Verfaultem und überall stoben Mäuse auseinander, wenn sie eintrat.

Einzig in einem Keller standen ein paar Möbel. Im Lichtkegel der Lampe ihres Handys erblickte sie einen Tisch und Stühle.

Auf dem Tisch lag ein überfüllter Aschenbecher, am Boden entdeckte sie mehrere leere Flaschen.

Beinahe hätte sie die zerbrochene Brille am Boden übersehen. Erregt hob sie die Brille auf – Vaters Brille!

Ausser sich vor Erregung suchte sie den Boden nach weiteren Spuren ab, fand jedoch nichts.

Draussen hörte sie Motorengeräusch.

Panisch verliess sie den Kellerraum und fuhr zusammen, als sie den Polizisten Olivier Durand erkannte.

«Was machen Sie hier?», schrie dieser sie an.

«Das möchte ich auch von Ihnen wissen», stotterte sie.

«Ich habe zufällig oben auf dem Parkplatz Ihr Auto erkannt und gedacht, vielleicht hätten Sie ein Problem.»

«Ich habe wirklich ein Problem!»

«Warum?»

«Weil ich da drinnen die kaputte Brille meines Vaters gefunden habe. Damit ist bewiesen, dass ihm etwas zugestossen ist. Wahrscheinlich ist er hier drangsaliert worden!»

«Damit erhärtet sich Ihr Verdacht und wir müssen unsere Ermittlungen wieder aufnehmen. Ich muss die Brille im forensischen Labor untersuchen lassen und den Spurensicherungsdienst hierherschicken.»

«Dann glauben Sie mir endlich?»

«Ja! Bitte entschuldigen Sie, dass wir Ihre Bedenken bisher nicht ernst genommen haben, aber wir hatten ja keinerlei Hinweise.»

Suzanne war froh, dass nun endlich Bewegung in den Fall kam, übergab ihm die defekte Brille und bedankte sich bei ihm.

33

Montredon La Madrague, November 2019

Kaum hatte Suzanne ihr Haus betreten, ertönte der Klingelton ihres Handys.

Olivier Durand entschuldigte sich für die Störung und erläuterte ihr, bei der Untersuchung der Brille müsse ein DNA-Abgleich gemacht werden und dazu benötige das Labor DNA-Material von Robert Schneider.

«Darf ich heute noch bei Ihnen voreikommen? Ich wäre etwa in einer halben Stunde in Montredon La Madrague.»

«Das ist kein Problem. Ich bin zu Hause.»

Sie hörte das Auto vorfahren und öffnete die Haustüre.

Dass Durand nicht alleine gekommen war, störte sie nicht weiter. Sie nahm an, es entspreche einer Dienstvorschrift, in der Regel zu zweit zu agieren.

Auf jeden Fall war sie froh, dass die Polizei ihr endlich Glauben schenkte und der Angelegenheit nachzugehen versprach.

«Darf ich Ihnen ein Glas Wein oder einen Pastis anbieten?»

«Nein, im Dienst trinken wir keinen Alkohol, aber einen Kaffee würden wir nicht ablehnen», antwortete Durand, der offensichtlich den Lead übernommen hatte, auch gleich für seinen Kollegen. «Aber vorher sollten wir die Sache mit dem DNA-Material erledigen. Haben Sie noch einen Kamm, eine Haarbürste oder den Rasierapparat Ihres Vaters?»

«Er hatte praktisch eine Glatze, aber den Rasierapparat können Sie mitnehmen.»

Sie holte den Rasierapparat im Badezimmer und Durand packte diesen in einen Plastiksack.

«Dürfen wir rauchen?»

«Ich bin zwar Nichtraucherin, aber es stört mich nicht, wenn Sie rauchen. Irgendwo sollte auch noch ein Aschenbecher sein.»

Beim Abschied entschuldigten sich die beiden nochmals für ihre anfängliche Zurückhaltung und für die Störung.

«Ich hoffe einfach, dass Sie den oder die Täter finden, welche den Tod meines Vaters zu verantworten haben.»

Wenig später klingelte die Hausglocke.

Suzanne dachte, die Polizisten hätten noch etwas vergessen und war erstaunt, als Besim vor der Türe stand. «Ich wollte mal vorbeikommen, um zu sehen, wie es dir geht, und um zu fragen, ob du eventuell wieder Arbeit für mich hättest», rechtfertigte er seinen unverhofften

Besuch.

«Aber ich habe dir doch erklärt, dass ich dich nicht mehr sehen möchte. Ich bereue nicht, was zwischen uns passiert ist, aber du musst akzeptieren, dass das für mich eine einmalige Episode war.»

«Ich weiss das und ich akzeptiere das auch, obwohl es mich schmerzt. Wir könnten doch einfach Freunde bleiben. Du brauchst von mir keine Annäherungsversuche zu befürchten. Ich werde dich nicht bedrängen, aber ich wollte dich fragen, ob du betreffend den Tod deines Vaters Neuigkeiten habest.»

Suzanne holte in der Küche den übrig gebliebenen Kaffee und berichtete ihm über die Ereignisse des Tages, von der verlassenen Häusergruppe auf dem *Col de la Gineste*, von der zerbrochenen Brille ihres Vaters und von der Wiederaufnahme der Ermittlungen durch die *Gendarmerie Nationale*.

Besim hörte ihr aufmerksam zu und erkundigte sich danach, wie es nun weitergehen werde.

«Die Brille wird im Labor untersucht und die Spurensicherung wird im Kellerraum nach weiteren Spuren suchen. Vielleicht finden sie dort Fingerabdrücke oder DNA-Spuren, die zu den Tätern führen.»

«Falls du meine Hilfe brauchst, dann lass es mich wissen. Du hast ja meine Handy-Nummer», bot er ihr an und verabschiedete sich.

Suzanne hatte nicht bemerkt, dass Besim die Zigaretten-stummel, welche die beiden Polizisten zurückgelassen hatten, vorsichtig aus dem Aschenbecher genommen und in einem Plastiksack verstaut hatte.

34

Montredon La Madrague, November 2019

Die nächsten Tage fand Suzanne keine Ruhe und schlief kaum.

Ihre Gedanken kreisten andauernd um den Kellerraum am *Col de la Gineste* herum und sie fragte sich immer wieder, was dort genau passiert sein könnte.

Die defekte Brille und die Gesichtsverletzungen waren klare Indizien für Drangsalierungen.

Sie fragte sich, ob die Peiniger dabei ihren Vater auch zum Trinken des Alkohols gezwungen hatten, der bei der Blutprobe festgestellt worden war.

Mit Spannung erwartete sie den in Aussicht gestellten Anruf der *Gendarmerie Nationale*.

Wie eine Erlösung kam ihr nach zwei langen Tagen des Wartens das Klingeln des Telefons vor.

«Hallo.»

«Madame Schneider?»

«Ja. Was haben Sie herausgefunden?»

«Nichts! Die Brille gehörte nicht Robert Schneider! Der DNA-Abgleich mit seinen Barthaaren war negativ!»

«Das ist doch nicht wahr! Ich kenne doch die Brille meines Vaters! Das muss ein Irrtum sein!»

«Tut mir leid – das Ergebnis ist eindeutig und lässt keine Zweifel zu!»

«Und was ist mit der Spurensicherung?»

«Die ist jetzt natürlich obsolet – das Dossier wird definitiv geschlossen.»

Suzanne verstand die Welt nicht mehr. Sie glaubte, den Boden unter den Füssen zu verlieren. Sie war ganz benommen und musste sich setzen. Das Blut hämmerte in ihrem Schädel und sie konnte kaum noch denken.

Erst nach einer Stunde gelang es ihr wieder, klare Gedanken zu formulieren. Langsam wuchsen in ihr die Zweifel und sie hegte plötzlich einen schrecklichen Verdacht.

Einer Eingebung folgend wählte sie die Telefonnummer des *Laboratoire de Police Scientifique* und liess sich mit Frau Dr. Blanc verbinden, der jungen Ärztin, die ihr seinerzeit die Ergebnisse der Autopsie eröffnet hatte.

«Warten Sie einen Moment, ich muss im System nachschauen», erwiderte die Forensikerin auf die Frage, ob es möglich sei, den Bericht über die Brillen-Untersuchung einzusehen.

«Hier wurde in den letzten Tagen keine Brille untersucht. Ein solcher Auftrag der *Gendarmerie Nationale* ist nicht registriert worden!»

Damit war der Verdacht zur Gewissheit geworden. Sie war von den beiden Polizisten hinters Licht geführt worden. Wahrscheinlich würden sie bei einer Konfrontation glatt abstreiten, von ihr die Brille und den Rasierapparat bekommen zu haben.

«Das überrascht mich ganz und gar nicht», meinte Henri, dem Suzanne in ihrer Verzweiflung am Telefon die neusten Ereignisse geschildert hatte. «Möglicherweise haben Durand und Thomas direkt mit dem Verschwinden Ihres Vaters zu tun. Jetzt müssen wir vorsichtig sein.»

«Was soll ich tun?»

«Am besten verlassen Sie Marseille vorübergehend. Gönnen Sie sich ein paar Tage Ferien an der *Côte d'Azur*. Ich werde mich in der Zwischenzeit um die Angelegenheit kümmern und Sie auf dem Laufenden halten.»

35

Toulon, November 2019

Das 2-Sterne Hotel *Bonaparte* an der *Rue Anatole France* ist zentral gelegen, nicht weit vom *Musée national de la Marine* entfernt.

Suzanne hatte sich für Toulon entschieden, weil sie nochmals Frank Dreyfus im Gefängnis besuchen wollte, um noch bestehende Lücken in seiner Lebensgeschichte zu schliessen.

Auf diese Weise konnte sie die Tage der Ungewissheit ein wenig überbrücken und sich so gut als möglich ablenken.

Zweimal war Suzanne in der Krankenabteilung der Haftanstalt an der *Route de la Crau* bei Frank Dreyfuss gewesen und hatte ihm zugehört.

Die detaillierten Schilderungen des zusehends schwächer werdenden Greises bedrückten sie sehr und sie verliess das Gefängnis jeweils ergriffen und aufgewühlt.

Eines Nachmittags, als sie sich erneut für einen vereinbarten Besuch melden wollte, wurde ihr beschieden, Dreyfus sei in der Nacht zuvor seinen Altersbeschwerden erlegen.

Traurig und nachdenklich setzte sie sich im *Calypso Café* am *Quai Cronstadt* an die Sonne und liess das Leben des Verstorbenen nochmals Revue passieren.

Eigentlich war sie froh für ihn, dass er mit seinem Ableben davon verschont blieb, seinen Mord vor dem Gericht verantworten zu müssen.

Unvermittelt glaubte Suzanne, Besim auf dem Quai zu entdecken. Doch der Mann reagierte nicht auf ihr Rufen, verschwand in der Menschenmenge und sie sagte sich, es müsse sich wohl um einen Doppelgänger gehandelt haben.

36

Les Milles, Februar 1943

«Was passiert mit uns?», hatte Eugénie Dreyfus einen deutschen Offizier gefragt, als sie vor dem alten Ziegeleigebäude im *Camp des Milles* auf die sanitarische Untersuchung gewartet hatten.

«Sie haben nichts zu befürchten. Sie können vorläufig hierbleiben. Das Lager steht unter französischem Kommando, das für Sie sorgen wird. Wahrscheinlich werden Sie nicht jeden Tag Gänseleber und Champagner bekommen, aber man lässt Sie nicht verhungern, so lange Sie nicht auf koscherer Ernährung bestehen.»

Nur mit Mühe war es ihr gelungen, ihren Sohn daran zu hindern, dem zynischen Antisemiten an die Gurgel zu springen.

Seit bald zwei Wochen lebten sie nun im hoffnungslos überfüllten Lager.

Die winterliche Kälte war neben der Ungewissheit das Schlimmste.

Weder in den Essräumen noch in den Schlafsälen gab es richtige Heizungen und für das Einfeuern der wenigen notdürftig zu Öfen umgebauten Fässer fehlte das Brennmaterial.

Der Speiseplan war äusserst karg. Morgens erhielten sie

Kaffee und ein Stück Brot, mittags und abends in der Regel eine Suppe, abwechslungsweise mit Bohnen, Kohl oder Karotten.

Prekär waren die sanitarischen Einrichtungen.

Vor den wenigen Toiletten bildeten sich Tag und Nacht mehr oder weniger lange Warteschlangen.

Hinter dem Hauptgebäude roch es penetrant nach Urin und Fäkalien von jenen, die nicht hatten warten können oder mögen.

Auch die Waschanlagen waren rar – Warmwasser war nicht vorhanden.

Die ungenügende und einseitige Ernährung, mangelnde Hygiene und die Kälte führten dazu, dass viele krank wurden, doch auch die medizinische Versorgung lag im Argen.

So waren Mutter und Sohn fast erleichtert, als sie eines morgens aufgefordert wurden, ihre wenigen Sachen zusammenzupacken und sich für die Abfahrt bereit zu halten.

«Was habt Ihr mit uns vor? Wo bringt Ihr uns hin?», wollte Frank vom Sergeanten wissen, der die Kommandos erteilte.

«Nach Norden.»

«Wie lange dauert die Fahrt?»

144

«Keine Ahnung!»

«Die Verhältnisse können kaum mehr schlechter werden», trösteten sie sich.

Frauen und Männer wurden in Güterwagen verfrachtet und eine lange, äusserst beschwerliche Reise begann.

37

Les Milles, November 2019

Der rostfarbene Güterwagen liess Suzanne erschaudern. Der Wagen stand am Ende des Weges, den die Internierten seinerzeit zu gehen hatten, bevor sie in der Regel in ein deutsches Konzentrationslager deportiert worden waren.

Offensichtlich waren die ursprünglichen Güterwagen systematisch für den Transport von Menschen eingesetzt worden. Als Kapazitätshinweis stand auf der Schiebetüre, der Wagen sei für 40 Menschen oder acht Pferde vorgesehen.

Nicht selten wurden jedoch in den 24 m^2 Fläche aufweisenden Waggons bis zu hundert Gefangene über tausende von Kilometern transportiert – Schulter an Schulter stehend.

Im Winter litten die Opfer oft an Eiseskälte, im Sommer an der Gluthitze. Die Kübel, die für das Verrichten der Notdurft dienen sollten, waren meist nach kurzer Zeit voll und konnten nicht entleert werden.

Der Güterwagen ist Bestandteil der in der Nähe von

Aix-en-Provence gelegenen Gedenkstätte *Camp des Milles*, wo Frank und Eugénie Dreyfus im Februar 1943 vorübergehend interniert waren.

Das zirka 150 Meter lange und 100 Meter breite, dreistöckige Gebäude weist die für ehemalige Ziegeleien typische Fassade aus roten Backsteinen auf.

In der Wirtschaftskrise anfangs der 30er-Jahre war die Ziegelei geschlossen und kurz nach Kriegsausbruch im September 1939 in ein Internierungslager für «unerwünschte Ausländer» umgewandelt worden.

Festgehalten wurden hier in erster Linie deutsche, österreichische und osteuropäische Juden sowie Intellektuelle, die vor dem Hitlerregime geflüchtet waren.

Bis 3000 Gefangene lebten in dieser Phase zeitweise unter katastrophalen Bedingungen im Lager, das unter französischer Militärhoheit stand.

Nach der im Juni 1940 erfolgten Kapitulation Frankreichs wurde das Lager von der Polizei des Vichy-Regimes als Deportationslager verwendet.

Die Regierung Pétain hatte sich verpflichtet, die aufgegriffenen Juden an Nazi-Deutschland auszuliefern.

Gegen Kriegsende dienten die Gebäude zuerst als Lazarett, später als Materiallager.

Nach dem Krieg ging die Ziegelei zurück an die ursprünglichen Eigentümer, welche die Produktion wieder aufnahmen, um Backsteine und Dachziegel für den Wiederaufbau herzustellen.

In den 80er-Jahren wollten die Besitzer die alten Gebäude abreissen.

Engagierte Historiker und die jüdische Gemeinde setzten sich dagegen zur Wehr und konnten schliesslich den sozialistischen Kulturminister Jack Lang für die Idee gewinnen, hier eine Gedenkstätte einzurichten.

Allerdings sollte es noch dreissig Jahre dauern, bis zur Eröffnung des Memorials am 10. September 2012, exakt 70 Jahre, nachdem der letzte Eisenbahnzug mit Juden Richtung Deutschland abgefahren war.

Auf dem modern konzipierten Rundgang werden den Besucherinnen und Besuchern zuerst auf Informationstafeln die historischen Hintergründe nähergebracht.

Eine gut verständliche Übersicht beschreibt den Aufstieg der Nationalsozialisten, den Verlauf des Krieges, die Zeit der deutschen Besatzung, die Kollaboration des Vichy-Regimes, die Organisation der Widerstandsbewegung sowie die Razzien, die Internierung und die Deportation der Juden.

Mit Videos werden sodann Einzelschicksale von mehr oder weniger bekannten Gefangenen dargestellt sowie Aufzeichnungen von Zeitzeugen wiedergegeben.

Zu besichtigen sind auch die früheren Schlafräume der Gefangenen.

Suzanne war bei der Durchsicht der langen Namenlisten erstaunt, wie viele Künstlerinnen und Künstler hier gefangen gehalten worden waren.

Trotz der Lagertristesse haben die Internierten anscheinend ein minimales kulturelles Leben mit Vorträgen, Lesungen, Konzerten und Theateraufführungen aufrechterhalten.

Aktiv blieben in der Gefangenschaft auch die gegen 40 Malerinnen und Maler, die zeitweise im *Camp des Milles* weilten.

Einige relativ gut erhaltene Wandmalereien stammen von bekannten Künstlern des 20. Jahrhunderts.

Dem österreichischen Maler Karl Robert Bodek, der 1942 im KZ Auschwitz ermordet wurde, wird ein riesiges Fresko zugeschrieben, welches Menschen aller Rassen bei einem Festmahl zeigt und den Titel «Bankett der Nationen» trägt.

Der deutsche Max Ernst hatte zusammen mit dem Polen Hans Bellmer das monumentale Werk «Schöpfungen, die Geschöpfe der Einbildungskraft» geschaffen.

Den Namen Ferdinand Springer, ebenfalls ein deutscher Maler, trägt «Der Traum des Gefangenen».

Weitere Werke stammen vom Kölner Maler Anton Räderscheidt, vom deutschen Maler Robert Liebknecht sowie vom deutsch-französischen Künstler Wolfgang Schuls, alias Wols.

38

Buchenwald, Februar 1943

Mit zitternden Händen öffnete Frank den Briefumschlag und sah im Schreiben des Sonderstandesamtes Weimar bestätigt, was er befürchtet hatte.

Sehr geehrter Herr Dreyfus

Es tut uns aufrichtig leid, Ihnen mitteilen zu müssen, dass Ihre Mutter unerwartet an einem Hirnschlag verstorben ist.

Trotz aller ärztlichen Bemühungen gelang es nicht, Frau Dreyfus am Leben zu erhalten. Wir können Ihnen jedoch versichern, dass sie ruhig und ohne Schmerzen gestorben ist.

Aus seuchenpolizeilichen Gründen musste die Leiche sofort eingeäschert werden.

Sollten Sie den Wunsch haben, die Urne mit den sterblichen Überresten Ihrer lieben Heimgegangenen auf einem bestimmten Friedhof beisetzen zu lassen, so bitten wir um Ihre diesbezügliche Mitteilung unter Beifügung einer Einverständniserklärung der betreffenden Friedhofverwaltung. Falls wir innerhalb von 14 Tagen keine Nachricht von Ihnen erhalten, werden wir die Urne anderweitig beisetzen lassen.

Die Kleidungsstücke der Verstorbenen haben bei der Desinfektion grossen Schaden erlitten und wurden deshalb der Nationalsozialistischen Volkswohlfahrt zur Stoffverwertung überwiesen.

Zwei Sterbeurkunden, die Sie sorgfältig aufbewahren wollen, fügen wir bei.

«Deine Mutter ist nicht an einem Hirnschlag gestorben. Sie wurde von der SS hingerichtet. Ich habe vor einem Monat wortwörtlich denselben Brief erhalten, mit dem mir der Tod meiner Frau mitgeteilt wurde. Wer nicht arbeiten kann, wird liquidiert!», wurde Frank von seinem Bettnachbarn aufgeklärt.

Eine Woche zuvor waren sie nach einer dreitägigen Fahrt ohne Essen und Wasser auf dem Güterbahnhof Weimar zum Aussteigen aufgefordert worden.

Obwohl sie durchkältet, geschwächt, hungrig und fast verdurstet angekommen waren, hatten ihnen die Aufseher keine Pause zugestanden und sie gezwungen, sofort Richtung Konzentrationslager zu marschieren.

Auf dem grossen Appellplatz hatte eine grobe Selektion stattgefunden. Zuerst waren Frauen und Männer getrennt worden.

Dann sind jene ausgemustert worden, die von den selektierenden Offizieren als für den Arbeitseinsatz unfähig betrachtet wurden.

Seither hatte Frank seine Mutter nicht mehr gesehen.

Nach der Selektion war allen der Kopf rasiert worden, dann hatten sie sich nackt ausziehen und im Desinfektionsbottich untertauchen müssen.

Anschliessend hatten sie die Häftlingskleidung, bestehend aus Hose, Jacke, Mütze, Holzschuhen sowie ihre Nummern bekommen und waren auf die verschiedenen Baracken aufgeteilt worden.

In den schmutzigen Unterkünften standen eiserne Betten ohne Matratzen und Decken. In jedem Raum war ein grosser Ofen, doch mangelte es meist an trockenem Holz, um diesen einzufeuern. Weil es strikte verboten war, im Bett Kleider zu tragen – nicht einmal Unterhosen oder Socken waren erlaubt – froren die Häftlinge nachts erbärmlich.

Der Züchtigung und Demütigung dienten die pedantischen Regeln der Lagerordnung.

Wer diese missachtete, wurde bestraft. Beispielsweise für Essen während der Arbeitszeit, Verletzung der Grusspflicht oder geringfügige Kleidungsmängel wie ein fehlender Knopf.

Das Strafarsenal reichte von Stock- und Peitschenhieben über Strafstehen, Essensentzug, Versetzung in die Strafkompanie bis zum Arrest.

Bei schwerwiegenderen Vergehen wie etwa Sabotage oder politischer Propaganda wurden die angeblichen Täter kurzerhand erschossen oder aufgehängt.

Gefürchtet waren auch die täglich stattfindenden Zählappelle, bei denen die Häftlinge oft mehrere Stunden in Kälte oder Regen auf dem Appellplatz strammstehen mussten.

Wenn die brüllenden und schlagenden SS-Leute feststellten, dass einer fehlte, mussten Namen und Nummern der mehreren hundert Häftlinge abgelesen werden.

Nach einem Fluchtversuch wurde meist stundenlanges Strafstehen als Kollektivstrafe verfügt.

Die Verpflegung war äusserst knapp und die Häftlinge litten an Hunger.

Essen gab es nur mittags und abends, das in der Regel aus einer dünnen, mehr oder weniger gehaltvollen Suppe, zwei Scheiben Brot und einem kleinen Stück mageren Käse oder minderwertiger Margarine bestand.

Wer am Morgen nicht nüchtern zum Arbeitseinsatz antreten wollte, musste sich von der Abendration etwas aufsparen.

Frank war der Kolonne zugeteilt worden, welche die Aufgabe hatte, beim Bau der Bahnstrecke nach Weimar die Schienen zu verlegen.

Das war eine ausserordentlich anstrengende Arbeit, hatten sie doch keinerlei schwere Geräte zur Verfügung.

Sie mussten das Lager morgens um sechs Uhr verlassen und kamen am Abend meist erst nach acht Uhr zurück.

Den Weg zur Baustelle und zurück hatten sie zu Fuss zurückzulegen.

Während der Arbeit wurden sie von den SS-Leuten ständig schikaniert und geschlagen.

Wer erschöpft zusammenbrach und nicht mehr aufstehen konnte, wurde vom Scharführer gequält oder kurzerhand erschossen.

Wenn sie am Abend endlich in ihrer Baracke waren, sangen die deutschsprachigen Häftlinge manchmal das so genannte Buchenwaldlied:

Wenn der Tag erwacht, eh' die Sonne lacht,
die Kolonnen ziehn zu des Tages Mühn
hinein in den grauenden Morgen.
Und der Wald ist schwarz und der Himmel rot,
und wir tragen im Brotsack ein Stückchen Brot
und im Herzen, im Herzen die Sorgen.

O Buchenwald, ich kann dich nicht vergessen,
weil du mein Schicksal bist.
Wer dich verliess, der kann es erst ermessen,
wie wundervoll die Freiheit ist!
O Buchenwald, wir jammern nicht und klagen,
und was auch unser Schicksal sei,
wir wollen trotzdem ja zum Leben sagen,
denn einmal kommt der Tag: dann sind wir frei!

Und das Blut ist heiss und das Mädel fern,
und der Wind singt leis, und ich hab' sie so gern,
wenn treu sie, ja, treu sie nur bliebe!
Und die Steine sind hart, aber fest unser Tritt,
und wir tragen die Picken und Spaten mit
und im Herzen, im Herzen die Liebe.

O Buchenwald, ich kann dich nicht vergessen …

Und die Nacht ist kurz, und der Tag ist so lang,
doch ein Lied erklingt, das die Heimat sang:
wir lassen den Mut uns nicht rauben.
Halte Schritt, Kamerad, und verlier nicht den Mut,
denn wir tragen den Willen zum Leben im Blut
und im Herzen, im Herzen den Glauben.

O Buchenwald, ich kann dich nicht vergessen …

Besonders der letzte Vers des Refrains – *denn einmal kommt der Tag: dann sind wir frei!* – gab ihnen ein wenig Zuversicht und die Hoffnung auf ein Leben in Freiheit.

39

Saint-Martin-en-Vercors, Juni 1944

«Wo warst du bis jetzt?», fragte Commander Ferval, der Anführer des *Maquis du Vercors* den Neuen.

«Ich habe seit meiner Entlassung aus der Armee in der Nähe von Aix-en-Provence auf einem Weingut gearbeitet», log André Barre.

«Und warum bist du hierhergekommen?»

«Ein Freund hat mir von der Ausrufung der *République du Vercors* erzählt und ich habe mir gedacht, als ausgebildeter Gebirgsjäger könne ich hier nützlich sein.»

«Du bist Gebirgsjäger?»

«Ja, ich habe in Grenoble die Rekrutenschule absolviert und war dann mit dem 15. Alpenjägerbataillon an der Ostgrenze.»

«Solche Leute können wir gebrauchen. Sei willkommen Kamerad.»

Barre hatte bereits im März 1943 an Hitlers Kriegskunst und an der Schlagkraft der Wehrmacht zu zweifeln begonnen, als ihm die Kapitulation von Stalingrad zu Ohren gekommen war.

Er war zwar nach wie vor von der nationalsozialistischen Ideologie überzeugt gewesen und er hatte sich vorbehaltlos bei den Säuberungsaktionen gegen Kommunisten und Juden beteiligt, aber er hatte sich je länger desto häufiger gefragt, ob die Achsenmächte den Krieg wirklich gewinnen würden.

Ende 1943 war er zufälligerweise auf einen Kumpel gestossen, der sich auf das Fälschen von Papieren spezialisiert hatte.

Spontan war er auf dessen Angebot eingegangen und hatte sich einen auf den Namen Gustave Pierre lautenden Pass anfertigen lassen, ohne tatsächlich daran zu denken, diesen je zu benützen.

Nach der erfolgreichen Invasion der alliierten Truppen in der Normandie hatte er sich eines Nachts von der *Milice française* abgesetzt, war in der Nähe von Sisteron in ein leer stehendes Haus eingebrochen, um sich andere Kleider zu beschaffen. Plötzlich war er froh über den falschen Pass gewesen.

Im von linken Kreisen aus Grenoble als Widerstandsbewegung gegründeten *Maquis du Vercors* herrschte nach den raschen Landgewinnen der Alliierten eine wahre Euphorie, aber auch ein gewisses Chaos.

Die eben ausgerufene Vercors-Republik sagte sich von Pétain los und setzte eine eigene militärische und zivile Verwaltung ein.

Die Vorbereitungen des seit Monaten geplanten bewaffneten Aufstands gegen die deutschen Besatzer liefen auf vollen Touren.

Noch wartete die Führung auf den Aufbau der von General De Gaulle versprochenen Luftbrücke, über die das *Maquis* Verstärkung, Waffen und Munition erhalten sollte. Vor allem schwere Waffen waren Mangelware.

Aus den Umgebungen von Grenoble und Valence trafen tausende junge Männer ein, vor allem solche, die sich dem von Vichy verfügten *Service de Travail Obligatoire* entzogen hatten, weil sie sich weigerten, in Deutschland Zwangsarbeit zu leisten.

Die Verwaltung verlor zeitweise die Übersicht und hatte Mühe, den Nachschub für die Verpflegung sicherzustellen. Die Ausbildung der Neuankömmlinge erfolgte nur noch rudimentär.

Dieses Durcheinander erleichterte André Barre den heuchlerischen Seitenwechsel und die perfide «Umwandlung» zum Partisanenkämpfer Gustave Pierre.

40

Buchenwald, 11. April 1945

«Kameraden, wir haben das Lager in unserer Hand», dröhnte es blechern aus den Lautsprechern über das Lagergelände – aus denselben Lautsprechern, aus denen noch tags zuvor die Kommandos der Lagerleitung erschallt waren.

Frank Dreyfus kroch aus seinem Versteck hervor und wagte sich auf den Appellplatz, wo sich bereits mehrere hundert bis auf die Knochen abgemagerte Häftlinge in den Armen lagen und die amerikanischen Soldaten wie Heilsbringer anbeteten.

Schon im Frühling 1943 hatten Neuankömmlinge berichtet, die Rote Armee habe bei Stalingrad über 300 000 Soldaten der Wehrmacht eingekesselt und in Kriegsgefangenschaft genommen Im Lager hatte diese Meldung neue Hoffnung geweckt. Viele sahen im Erfolg der Sowjettruppen den ersehnten Wendepunkt.

An mehreren, von Häftlingen gebastelten Radioempfängern waren im Juni 1944 die schweren Luftangriffe und die gelungene Landung alliierter Truppen in der Normandie mitverfolgt worden.

Als dann im August 1944 Bomber der Alliierten die im

Verlaufe der Jahre in Buchenwald entstandenen Rüstungsbetriebe weitgehend vernichtet hatten, war nicht nur den Häftlingen, sondern auch den Wachmannschaften klar geworden, dass das Ende des Krieges nicht mehr weit sein konnte.

Das hatte einerseits die Lagerleitung zu einem noch härteren Regime und zu noch schlimmeren Gräueltaten veranlasst.

Anderseits war bei einzelnen Wachleuten gewisse Nachlässigkeit und Gleichgültigkeit bei der Durchsetzung der Befehle zu beobachten gewesen.

Ende 1944 waren mehrere tausend neue Häftlinge eingetroffen, welche aus eiligst geschlossenen Konzentrationslagern nahe der Ostfront stammten.

Die Neuankömmlinge hatten meist regelrechte «Todesmärsche» hinter sich, auf denen zahllose Leichen zurückgeblieben waren.

Das Lager war nun hoffnungslos überfüllt gewesen, was zu katastrophalen Verhältnissen geführt hatte.

Unter den Häftlingen hatte sich längst eine Widerstandsbewegung gebildet, der es zunehmend gelungen war, die SS in die Irre zu führen und Chaos zu stiften.

Als bekannt geworden war, die 3. US-Armee befinde sich auf dem Anmarsch, hatte die SS die Evakuation der Häftlinge angeordnet. Zu Fuss hätten sie in ein weiter westlich liegendes Konzentrationslager deportiert werden sollen.

So erlebten am 11. April 1945 von den zuletzt gegen 50 000 Häftlingen nur noch deren 21 000 die Befreiung durch die Amerikaner.

Frank Dreyfus, dem sein Glauben geholfen hatte, die mehr als zwei Jahre Lagerdasein mit all den Quälereien und Strapazen auszustehen, setzte sich auf einen Stein und dankte seinem Gott in einem innigen Gebet.

41

Weimar, November 2019

«Die Welt hat für mich nur dann einen Sinn, wenn sie ein Bauhaus ist. Die ganze Welt ein Bauhaus!», soll der 1899 geborene und 1948 als Professor an die pädagogische Abteilung der Hochschule für bildende Künste Berlin berufene Fritz Kuhr als junger Bauhausschüler ausgerufen haben, berichtete die Kunststudentin, welche durch das neue Bauhaus-Museum führte.

Suzanne hatte schon lange vor ihrem Umzug nach Marseille den Plan gehabt, endlich einmal nach Weimar zu reisen.

Nach den Gesprächen mit Frank Dreyfus wollte sie auch die in der Nähe gelegene Gedenkstätte des KZ Buchenwald besuchen – so konnte sie ihr Interesse für die Wirren des Zeiten Weltkriegs mit der Vertiefung ihres kunsthistorischen Wissens kombinieren.

Zudem hatte sie das Bedürfnis nach einer Abwechslung, denn sie fühlte sich zeitweise in Toulon fast wie eine Gefangene.

Zuerst hatte sie wegen ihrer Flugangst noch gezögert, war aber dann erleichtert gewesen, als sie festgestellt hatte, dass die Reise durchaus auch auf der Schiene in vernünftiger Zeit möglich war.

So hatte sie um 06.52 Uhr in Toulon den Zug genommen und nach 12 Stunden sowie Umsteigen in Marseille,

Mannheim und Erfurt um 18.50 Uhr Weimar erreicht.

In der *Pension Zur Rose*, an der *Friedrich-Ebert-Strasse,* in der Nähe des Bahnhofs hatte sie ein Einzelzimmer reserviert und ihre späte Ankunft angekündigt.

Da im TGV nur ein Bistro zur Verfügung gestanden hatte und der Speiswagen im ICE total überfüllt gewesen war, hatte sie Hunger gehabt und sich in die zur Pension gehörende Gaststube gesetzt.

Sie verzichtete auf das 1000 km von Marseille entfernt angebotene, mit Tomaten und Mozzarella überbackene «Mediterrane Schnitzel» und bestellte stattdessen das mit Meerrettich, Senf und Zwiebel gefüllte «Scharfe Schnitzel». Dazu einen Viertel einheimischen Federweissen.

Nach einem tiefen Schlaf und einem üppigen Frühstück mit Rührei und Schinken hatte Suzanne nochmals ihren Reiseführer durchgeblättert und gespürt, welche Fülle an Geschichts- und Kulturerbe hier zusammenkam.

Weimar musste bereits Ende des 18. Jahrhunderts eine besondere Anziehungskraft auf Kulturschaffende ausgeübt haben, lebten doch gleichzeitig mehrere Berühmtheiten der deutschen Literatur in Weimar, unter anderen Christoph Martin Wieland (1733–1813), Johann Wolfgang Goethe (1749–1833) und Friedrich Schiller (1759–1805).

Im Geschichtsunterricht am Seminar hatte Suzanne zwar mitbekommen, in Deutschland, das den Ersten Weltkrieg verloren hatte, sei nach der Abdankung von Kaiser Wilhelm II. 1919 – also vor hundert Jahren – die sogenannte «Weimarer Republik» aus der Taufe gehoben worden. Sie hatte aber nicht gewusst, woher dieser Name stammte.

Nun hatte sie gelesen, nach der ersten Wahl der Nationalversammlung hätten die Verantwortlichen in Berlin Unruhen befürchtet und deshalb die verfassungsgebende und konstituierende erste Versammlung nach Weimar verlegt.

Zum ersten Reichspräsidenten der nunmehr parlamentarischen Demokratie war der Sozialdemokrat Friedrich Ebert erkoren worden.

Die junge Republik war jedoch von Anfang an unter einem schlechten Stern gestanden. Die konservativen Kräfte haderten mit den Gebietsverlusten und den hohen Reparationszahlungen, welche die Siegermächte mit dem Friedensvertrag von Versailles Deutschland aufgezwungen hatten. Die Linksradikalen warfen angesichts der Hyperinflation der Regierung vor, die Interessen der Arbeiterschaft verraten zu haben.

Das Ende der Weimarer Republik wurde 1933 mit der Ernennung von Adolf Hitler zum Reichskanzler und der Verkündung des Ermächtigungsgesetzes besiegelt.

Auf 11 Uhr hatte Suzanne eine Eintrittskarte in das neue Bauhaus-Museum reserviert.

Im gleichen Jahr wie die Weimarer Republik war hier 1919 vom deutschen Architekten Walter Gropius das

Bauhaus gegründet worden.

In seinem Gründungsmanifest ist folgender Aufruf nachzulesen:

«Architekten, Bildhauer, Maler, wir alle müssen zum Handwerk zurück! Denn es gibt keine Kunst von Beruf. Es gibt keinen Wesensunterschied zwischen dem Künstler und dem Handwerker. Der Künstler ist eine Steigerung des Handwerkers. Gnade des Himmels lässt in seltenen Lichtmomenten, die jenseits seines Wollens stehen, unbewusst Kunst aus dem Werk seiner Hand erblühen, die Grundlage des Werkmässigen aber ist unerlässlich für jeden Künstler. Dort ist der Urquell des schöpferischen Gestaltens.»

Gropius war es gelungen, hochkarätige Künstler als Meister an das Bauhaus zu berufen.

Mit dem vom Schweizer Johannes Itten konzipierten Vorkurs, der Formen- und Farbenlehre von Paul Klee und Wassily Kandinsky sowie der praktischen Ausbildung in den Werkstätten war ein neuartiges Ausbildungsmodell entstanden.

Wie die Weimarer Republik wurde auch das Bauhaus von Anfang an angefeindet. Die bürgerlichen Parteien konnten mit den neuartigen Ideen wenig anfangen und der unter Armut leidenden Arbeiterschaft fehlte das Verständnis für die finanzielle Unterstützung des Bauhauses durch die Öffentlichkeit.

Nachdem eine bürgerliche Mehrheit 1924 die sozialdemokratische – bauhausfreundliche – Landesregierung in Thüringen abgelöst hatte, waren dem Bauhaus die

Subventionen gestrichen worden, was zur Schliessung und zum Umzug nach Dessau führte.

Dort wiederholte sich die Geschichte, so dass sich 1932 der damalige Direktor Ludwig Mies van der Rohe gezwungen sah, die Lehranstalt nach Berlin zu verlegen, wo allerdings nur ein Jahr später mit der Machtübernahme durch die Nationalsozialisten das endgültige Aus kam.

Hundert Jahre nach der Gründung konnte im September 2019 das neue Bauhaus-Museum eingeweiht werden.

Der minimalistische Kubus mit einer Fassade aus schwarzem Beton wurde sowohl in Architekturkreisen als auch in der Bevölkerung kontrovers beurteilt und bekam im Volksmund bald den Übernamen «Blackbox».

Suzanne war auf Anhieb von der modernen Architektur begeistert.

Die aus einem zweistufigen Wettbewerb als Siegerin hervorgegangene Architektin Heike Hanada hatte zu ihrem Entwurf erklärt, sie wolle an die Frühphase des Bauhauses zwischen Klassizismus, Jugendstil und der Entwicklung der Moderne anknüpfen.

Wie gross der Einfluss der Bauhaus-Architektur, der Bauhaus-Kunst und des Bauhaus-Designs nachgewirkt haben, umschrieb Bundeskanzlerin Angela Merkel anlässlich der Eröffnungsfeierlichkeit des neuen Museums am 8. September 2019 mit folgenden Worten:

«Die Avantgarde-Schule hat unsere Alltagskultur geprägt wie kaum eine andere Schule. Die Stahlrohrstühle von Marcel Breuer, die Lampen von Marianne Brandt oder auch der Klapptisch von Gustav Hassenpflug sind Klassiker der Moderne geworden und haben die geschmacklichen Empfindungen ganzer Generationen von jungen Menschen geprägt. So stilbildend, wie das Bauhaus seit Generationen wirkt, so unerschöpflich sind Bauhaus-Ideen als Quelle der Inspiration zur Gestaltung der Zukunft.»

42

Buchenwald, November 2019

Gemäss den Unterlagen, die sich Suzanne beschafft hatte, ist das «Klassische Weimar» 1998 von der Organisation der Vereinten Nationen für Erziehung, Wissenschaft und Kultur UNESCO in die Welterbeliste aufgenommen und für das Jahr 1999, also vierzehn Jahre vor Marseille, zur Kulturstadt Europas erkoren worden.

Am zweiten Tag ihres Aufenthalts in Weimar wollte sie deshalb die wichtigsten Sehenswürdigkeiten besichtigen.

Zuerst besuchte sie das Goethe-Nationalmuseum mit dem Wohnhaus, in welchem der aus Frankfurt stammende Dichter und Naturforscher gelebt hat.

Er war von Karl August, Herzog von Sachsen-Weimar und Eisenach, nach Weimar geholt worden und zwischen den beiden hatte sich eine tiefe Freundschaft entwickelt. Der Herzog übertrug Goethe hohe Regierungsämter und erwirkte 1782 seine Erhebung in den Adelsstand.

In Schillers Wohnhaus, das mit originalgetreuem Mobiliar eingerichtet ist, fühlte sich Suzanne um 200 Jahre zurückversetzt.

Dass der in der Nähe von Stuttgart aufgewachsene Dichter auch Arzt, Philosoph und Historiker gewesen war, hatte sie nicht gewusst.

Im kleinen Arbeitszimmer soll der Dramatiker unter anderem «Wilhelm Tell» geschrieben haben – damals natürlich weder mit Schreibmaschine noch Laptop, sondern von Hand, mit Tinte und Feder.

Als Herzstück der Weimarer-Klassik gilt das «Grüne Schloss», das seinerzeit von Anna Amalia, der Mutter von Karl August, zu einer der ersten öffentlich zugänglichen Bibliotheken Deutschlands umgebaut worden war.

Der Bibliotheksbestand umfasst über eine Million Einheiten.

2004 zerstörte ein verheerender Brand einen Teil der Bibliothek – erst 2007 erfolgte die Wiedereröffnung.

Für den weltberühmten Rokokosaal ist die Besucherzahl auf 70 Personen täglich limitiert. Suzanne war froh, bereits aus Marseille eine Eintrittskarte reserviert zu haben. Tief ergriffen verliess sie den kulturhistorisch einmaligen Ort.

Den Besuch des KZ Buchenwald hatte Suzanne für den letzten Tag ihrer Reise geplant.

Ihr war von Anfang an bewusst gewesen, dass sie die Gedenkstätte deprimieren würde, und sie wollte sich dadurch nicht die ganzen Ferientage vergällen lassen.

Kurz nach 9 Uhr kam sie mit dem Bus Nr. 6 von Weimar her bei der 9 km entfernten Gedenkstätte an.

Auf der Fahrt erinnerte sie sich daran, dass Frank

Dreyfus geschildert hatte, wie er und seine Mutter, geschwächt von der langen Bahnfahrt, diesen Weg zu Fuss hatten zurücklegen müssen.

«Wissen Sie, warum die Inschrift JEDEM DAS SEINE am Lagertor gegen innen gerichtet ist?», fragte der redselige Fremdenführer.

Schweigen.

«Der Spruch sollte vom Appellplatz aus sichtbar sein und den Gefangenen tagtäglich eintrichtern, jeder bekomme die Strafe, die er verdiene.

Mit der Gestaltung der Inschrift hatte die Lagerleitung ausgerechnet den in Buchenwald inhaftierten Bauhaus-Architekten Franz Ehrlich beauftragt, der sich erdreistete, eine Bauhaus-Schrift zu verwenden, die bei den Nazis als entartet galt. Anscheinend ist dies keinem der SS-Schergen aufgefallen – auch nicht Heinrich Himmler, der das KZ nachweislich mehrfach besucht hatte.

Übrigens wurde dieser Spruch, lateinisch *suum cuique*, schon in der Verteilungstheorie der Antike verwendet und bedeutete, dass kein Mensch zu viel, aber auch nicht zu wenig Besitz haben sollte.»

Suzanne befürchtete schon, der Reiseführer werde in diesem Stil weiterfahren, um seine Belesenheit zu beweisen, doch sie hatte sich getäuscht.

Der rüstige Senior gestaltete die Führung ohne weitere Ausschweifungen in die Antike und fand bei seinen Ausführungen eine angenehme Mischung zwischen sachlicher Information und mitfühlenden Hinweisen.

Das ab 1937 aufgebaute Lager war ursprünglich für die Inhaftierung von Juden, Sinti und Roma, Homosexuellen, Zeugen Jehovas, Vorbestraften und Asozialen vorgesehen, die hier Zwangsarbeit leisten sollten.

Während des Krieges waren insgesamt gegen 280 000 Menschen aus ganz Europa nach Buchenwald verschleppt worden – mehr als 56 000 fanden den Tod.

Abgetrennt vom Hauptlager befand sich ein Sonderlager für prominente Häftlinge.

Suzanne fragte sich, ob Frank Dreyfus und seine französischen Mitgefangenen wohl gewusst hätten, dass dort auch Léon Blum, der Ministerpräsident der seinerzeitigen Volksfrontregierung und Édouard Daladier, der prominente Gegner des Vichy-Regimes, untergebracht waren.

Dem Konzentrationslager sind im Laufe der Jahre für die Zwangsarbeit mehrere Aussenlager und Rüstungsbetriebe angegliedert worden

Darunter die Gustloff-Werke, in denen Waffen und Fahrzeuge hergestellt wurden, die Zünderfabrik Krupp

AG, die Siebel Flugzeugwerke, Junkers Flugzeug- und Motorenwerke sowie eine Reparaturwerkstätte der Deutschen Reichsbahn.

Mit der Befreiung der Gefangenen am 11. April 1945 durch die 3. US-Armee und deren Abzug aus Thüringen endete jedoch der Terror in Buchenwald nicht.

Im August 1945 übernahm die Sowjetische Armee das Lager und betrieb dieses bis 1950 zur Internierung von vermeintlichen Nationalsozialisten, Mitläufern und angeblichen Kriegsverbrechern.

Die DDR errichtete 1958 im Bereich der Massengräber ein weithin sichtbares monumentales Denkmal.

Nach dem Untergang der DDR hatte sich eine Neukonzeption der Gedenkstätte aufgedrängt.

Seit ein paar Jahren wird nun in Dauerausstellungen sowohl auf die Schreckenszeit des KZ Buchenwald als auch auf die Nutzung durch die Sowjets eingegangen.

Bedrückend fand Suzanne vor allem die Ausstellung von Objekten und Erinnerungsgegenständen, welche ehemalige Häftlinge und deren Angehörige der Gedenkstätte übergeben haben.

Beklemmung lösten bei ihr auch die vielen Zeichnungen, Fotos, Dokumente und Interviews aus, die in deutschen und ausländischen Archiven zusammengetragen worden sind.

43

Paris, Februar 1984

Schlagartig wurde es still im *Salon du Capharnaüm*, wo die Verabschiedung von Frank Dreyfus stattfand.

Jean-Louis Bianco, der Generalsekretär des Élisée-Palastes, hatte zum Apéro eingeladen, um seinem Mitarbeiter den verdienten Dank des Staatspräsidenten zu überbringen.

Alle hatten auf Biancos salbungsvolle Ansprache gewartet, als plötzlich die Türe aufgegangen war und François Mitterrand persönlich aufkreuzte, um die annähernd vierzigjährige Zusammenarbeit mit «seinem Freund Frank» zu würdigen.

Der Präsident bat Dreyfus zu sich und verlieh ihm den nationalen Verdienstorden *Chevalier de l'Ordre national du Mérite*.

Frank befürchtete den Boden unter den Füssen zu verlieren, als Mitterrand ihm das vergoldete Medaillon mit dem Kopf von Marianne, der Nationalfigur der Französischen Republik, eingefasst vom sechszackigen, blau emaillierten Stern, an sein Revers heftete.

In einer Art Trancezustand schaute er durch seine Tränen den Präsidenten an, der ihm die Hand reichte, auf die Schulter klopfte und ihn umarmte.

Er erinnerte sich an die erste Begegnung mit François

Mitterrand im Jahr 1947, als ob es erst gestern gewesen wäre.

Die Jahre ihrer Zusammenarbeit flogen wie ein Film vor seinem geistigen Auge vorbei.

Nach der Befreiung aus dem KZ und der Rückkehr nach Paris war er wieder in die elterliche Wohnung an der *Rue des Rosiers* eingezogen.

In Paris hatte eine frohe Aufbruchstimmung geherrscht und die neu gefundene Lebensfreude war fast mit den Händen zu greifen gewesen.

Frank Dreyfus hatte sich entschlossen, das abgebrochene Studium wieder aufzunehmen, sobald die Universität geöffnet sein würde, und er hatte begonnen, sich nach einer Anstellung umzusehen, um seinen Lebensunterhalt bestreiten zu können.

Ende 1946 hatte ihm Léon Blum einen Sekretariatsposten vermittelt, als der ehemalige Freund seines Vaters und seinerzeitige Ministerpräsident des Volksfrontkabinetts zum Premierminister der provisorischen Übergangsregierung gewählt worden war.

Eines Tages hatte ihn Blum dem in die neue Nationalversammlung gewählten François Mitterrand vorgestellt, dem er von da an gedient hat.

Anfänglich hatte sich Frank um die Agenda seines

Chefs gekümmert, hatte für ihn Akten zusammengestellt und sonst allerlei Arbeiten erledigt.

Nach Abschluss seines Studiums an der *École normale supérieure* hatte ihn Mitterrand, der während der Vierten Republik verschiedenen Regierungen als Minister angehört hatte, in seinen Stab aufgenommen.

Trotz heftiger Opposition hatte Mitterrand 1958 die Annahme der von General de Gaulle geprägten neuen Verfassung der Fünften Republik und damit den Übergang vom parlamentarischen zum präsidentiellen Regierungssystem nicht verhindern können.

Während der zehnjährigen Präsidentschaft von Charles André Joseph Marie de Gaulle, wie der General mit vollem Namen hiess, war Mitterrand zu seinem wichtigsten Gegner geworden.

Frank Dreyfus war in dieser Zeit für die Beziehungen zu den verschiedenen linken Parteien verantwortlich gewesen. Bei der 1971 erfolgten Gründung des *Parti socialiste*, dessen Vorsitzender Mitterrand wurde und beim Schmieden des Bündnisses von Sozialisten und Kommunisten, der *Union de la Gauche*, hatte Dreyfus im Hintergrund eine wichtige Rolle gespielt.

So war es keine Überraschung gewesen, dass der am 10. Mai 1981 zum Staatspräsidenten gewählte Mitterrand seinen Vertrauten Dreyfus in seinen Beraterstab geholt hatte.

«*Merci, Monsieur le Président*», stammelte Frank.

«*C'est à moi de te remercier, mon cher Frank! Que vas-tu faire maintenant en tant que retraité?*»

«*Je vais m'installer en Provence – j'ai encore quelque chose à régler là-bas!*»

44

Le Muy, August 2019

Die Bürgermeisterin Liliane Boyer hiess die grosse Fest-
gemeinde zum 75. Jahrestag der Landung alliierter Fall-
schirmjäger in ihrer Gemeinde willkommen, begrüsste
speziell Claudine Kauffmann, die in Celle bei Brignoles
wohnhafte Senatorin und ein paar weitere Politikerinnen
und Politiker aus der Region.

Ein besonderes Grusswort richtete sie an die Vertreter
der *Anciens Combattants*, darunter mehrere Veteranen aus
den Kriegen in Indochina und Algerien sowie Gustave
Pierre, den einzigen noch lebenden Widerstandskämpfer, der im August 1944 die Invasion an der *Côte d'Azur*
miterlebt habe.

Die als Hauptreferentin eingeladene Senatorin, die sich
nach dem Rauswurf aus dem *Front National* der rechtsextremen Splittergruppe *Debout la France* angeschlossen
hat, wurde ihrem Ruf als rechtsradikale Scharfmacherin
gerecht und hielt eine regelrechte Brandrede.

Zuerst begrüsste auch sie die Anwesenden und erwähnte die Ehrengäste nochmals alle namentlich.

Dann wies sie darauf hin, sie habe eine ganz besondere
Beziehung zu 1944. Ihr Vater sei ein aktiver *Maquisard*
gewesen und wenige Tage vor der Befreiung der Provence von den Besatzern füsiliert worden, nachdem er
beim Sprengen einer Brücke erwischt worden war. Sie

selbst sei Ende September 1944, also rund sechs Wochen nach der Invasion zur Welt gekommen.

Die Ereignisse von 1944 streifte sie nur ganz kurz und oberflächlich und kam dann auf ihr Lieblingsthema zu sprechen, indem sie die damalige Besetzung durch die Nazis mit der aktuellen Migration verglich.

Sie warnte vor dem Versuch, die französische und europäische Bevölkerung durch Einwanderer aus Schwarzafrika und dem Maghreb zu unterwandern.

Dieser schleichende Prozess, der von der europäischen politischen, intellektuellen und medialen Elite unterstützt werde, führe langfristig zu einem Bevölkerungs- und Zivilisationswechsel.

Zum Schluss ihrer fremdenfeindlichen Ansprache würdigte sie den in Fréjus wohnhaften Gustave Pierre.

Sie habe sich kürzlich mit dem hundertjährigen Partisanen der *Résistance* getroffen und habe von ihm erfahren, wie er zahlreiche Sabotageaktionen erfolgreich ausgeführt habe, dass er im *Maquis du Vercors* bis zuletzt gekämpft habe, wie er auf der anschliessenden Flucht in der Nähe von Manosque von einer deutschen Patrouille aufgegriffen und nur deshalb laufengelassen worden sei, weil es ihm gelungen sei, im letzten Moment die geheimen Dokumente aus Reispapier zu schlucken.

Bei seinen grossen Verdiensten für das Vaterland sei dieser Haudegen bescheiden geblieben und habe seine Taten in all den Jahren nie an die grosse Glocke gehängt und sie habe ihm seine Schilderungen völlig aus der Nase ziehen müssen. Sie schlage deshalb vor, den Helden Gustave Pierre zum Ehrenbürger zu erklären.

Gustave Pierre, alias André Barre fühlte sich ganz und gar nicht wohl seiner Haut.

Obwohl sich auf den Aufruf des *Musée De La Libération Du Muy* keine anderen Zeitzeugen gemeldet hatten, befürchtete er seine Entlarvung und den Zusammenbruch des Kartenhauses seiner Lebenslüge.

In Wirklichkeit hatte er sich nach dem deutschen Angriff im *Vercors* aus dem Staub gemacht, war sozusagen ein zweites Mal desertiert und hatte sich während Monaten im Gebiet des *Grand Canyon du Verdon* versteckt gehalten.

Nach dem Ende des Krieges war er in Fréjus untergetaucht und hatte dort ein zurückgezogenes Leben geführt.

Wenn er nach seiner Rolle während der Besatzungszeit gefragt worden war, hatte er jeweils angedeutet, dem Widerstand angehört zu haben, aber er könne und wolle nicht über Details reden, denn das sei für ihn ein Trauma.

Er versuche, die entsetzlichen Ereignisse zu verdrängen und sich möglichst nicht daran zu erinnern, weil er sonst Albträume und Angstzustände riskiere.

Dann war eines Tages diese Senatorin bei ihm aufgekreuzt und hatte ihn gelöchert und ihm Dinge in den Mund gelegt, die mit der Wahrheit und mit ihm nichts zu tun hatten.

45

Toulon, Dezember 2019

Aus dem geplanten Weihnachtsfest in der Schweiz wurde nichts.

Die Einladung von Tante Annemarie war Suzanne gerade recht gekommen, denn seit den letzten Gesprächen mit Frank Dreyfus war sie völlig unterbeschäftigt und sie langweilte sich.

Im Internet hatte sie sich den Fahrplan herausgesucht, doch als sie die Billette lösen und die Reservationen vornehmen wollte, hiess es, wegen des nationalen Streiks seien die Zugsverbindungen ins Ausland bis auf Weiteres unterbrochen.

Suzanne hatte im September von den Demonstrationen gelesen, die sich gegen die von Staatspräsident Emmanuel Macron geplante Rentenreform gerichtet hatten.

Die Angelegenheit hatte sie jedoch nicht wirklich interessiert und sie hatte geglaubt, die Gewerkschaften hätten sich mit der Regierung auf einen Kompromiss geeinigt.

Ihre Recherchen zeigten ihr nun aber ein anderes Bild.

Die Gewerkschaften waren offenbar zum Letzten bereit und suchten mit Macron die entscheidende Machtprobe.

Nach Rücksprache bei der Redaktion der Berner Zeitung war ihr bestätigt worden, das Thema sei durchaus auch in der Schweiz von Interesse und eine mehrteilige Berichterstattung willkommen.

Sie hatte sich nie wirklich mit Fragen der Altersvorsorge auseinandergesetzt und darauf vertraut, die Delegierten der Lehrerschaft würden bei der Bernischen Lehrerversicherungskasse BLVK ihre Interessen nach bestem Wissen und Gewissen vertreten.

Jetzt musste sie zuerst herausfinden, um was es bei den sozialpolitischen Auseinandersetzungen überhaupt ging.

Seit Jahrzehnten wird in Frankreich über eine von vielen als unerlässlich erachtete Rentenreform diskutiert und gestritten.

Im Vordergrund stehen die Prognosen der Versicherungsfachleute, welche beim geltenden Rentensystem mit hohen Defiziten rechnen.

Bemängelt wird auch die Ungleichbehandlung von Angestellten der Privatwirtschaft gegenüber jenen im öffentlichen Dienst.

In einzelnen Sektoren betragen die Renten bis 75 Prozent des letzten Einkommens.

Die Gewerkschaften sehen den Vorteil dieses Systems vor allem darin, dass in Frankreich gemäss einer OECD-Studie nur 3,6 Prozent der Rentnerinnen und Rentner von Armut betroffen sind, gegenüber Spanien mit 5,4

Prozent, Italien mit 9,3 Prozent, Deutschland mit 9,5 Prozent und der Schweiz gar mit 19,4 Prozent.

Bisher sind alle Versuche, das zersplitterte Rentensystem in ein einheitliches System überzuführen, am Widerstand von Gewerkschaften und Bevölkerung gescheitert.

Für Macron geht es darum, die in seinem Wahlprogramm als zentrales Vorhaben bezeichnete Gesetzesänderung umzusetzen.

Am 5. Dezember fand landesweit ein erster grosser Streiktag statt.

Beschäftigte der Sektoren Transport, Bildung, Gesundheit, Energie und Justiz legten ihre Arbeit nieder.

Die Gewerkschaften meldeten, 1,5 Millionen Arbeitnehmerinnen und Arbeitnehmer seien dem Streikaufruf gefolgt – das Innenministerium schätzte die Zahl der Streikenden auf 806 000.

Beim öffentlichen Nah- und Fernverkehr wurde ein unbegrenzter Streik ausgerufen.

Am 12. Dezember stellte Premierminister Édouard Philippe in einer Fernsehansprache das Reformprojekt der Regierung vor.

Für die Berechnung der Renten sollte künftig ein Punktesystem gelten.

Die Mindestrente sollte von bisher 630 Euro auf 1000 Euro erhöht werden.

Das Tabuthema des ordentlichen Altersrücktritts versuchte die Regierung zu umgehen, indem das gesetzliche Rentenalter nicht geändert und bei 62 Jahren bleiben würde, ab 2027 jedoch ein Bonus-Malus-System mit einem Referenzalter 64 eingeführt werden sollte.

Für Sicherheitskräfte, Lehrerschaft und Pflegepersonal sah die Regierung spezielle Übergangslösungen vor – wohl um deren Opposition zu brechen.

Die Gewerkschaften reagierten empört auf die Ankündigungen des Ministerpräsidenten.

Der Vorschlag betreffend Rentenalter wurde als fauler Trick bezeichnet.

Auf den 17. Dezember wurde deshalb ein weiterer nationaler Streik- und Demonstrationstag ausgerufen, dem sich nun auch die *CFDT* und weitere bisher abwartende Organisationen anschlossen.

1,8 Millionen Menschen folgten gemäss Aussagen der Gewerkschaften dem Aufruf – das Innenministerium nannte 615 000 Streikende.

Auch in Toulon wurde den Aufrufen regelmässig Folge geleistet.

Ein wenig amüsierte sich Suzanne beim Anblick einer Hundertschaft von Anwältinnen und Anwälten, die in den Amtstrachten an einer Kundgebung teilnahmen und dann ihre Roben am Zaun vor dem Justizplast aufhängten.

Einem Flugblatt entnahm sie, der Anwaltsverband, der *Conseil National des Barreaux*, lehne die Rentenreform ab, weil seine autonome Rentenkasse selbsttragend und auf keine öffentlichen Gelder angewiesen sei. Bei einer Unterstellung unter das geplante Rentensystem seien jedoch massive Verschlechterungen zu befürchten.

Mit Interesse verfolgte Suzanne die fast täglich publizierten Umfrageergebnisse und staunte, dass die anhaltende Streikbewegung anscheinend trotz der Unannehmlichkeiten in breiten Kreisen der Bevölkerung auf Unterstützung stiess.

Je nach Forschungsinstitut lagen die Zustimmungswerte zwischen 55 und 68 Prozent, wobei gegen zwei Drittel der Befragten der Auffassung waren, die Schuld für die Unruhen trage Staatspräsident Emmanuel Macron und dessen Regierung.

Auf die Frage, warum die Aufrufe der Gewerkschaften plötzlich einen derart starken Widerhall fänden, antwortete eine Mehrheit, die Bewegung der Gelbwesten habe bei den Französinnen und Franzosen die traditionelle Protestkultur wiedererweckt.

46

Arles, März 2019

Pünktlich um sieben Uhr verliess Frank Dreyfus seine kleine Wohnung an der *Rue Pierre Saxy*, um im *Tabac Presse La Provence* zwei Päckchen Zigaretten und mehrere Zeitungen zu kaufen.

Wie jeden Tag sass er um 07.15 Uhr im nahe gelegenen *Café Marius* mit einem Verveine-Tee bei der Zeitungslektüre und begann wie üblich mit der Lokalzeitung *La Provence*.

Fast hätte er den Tee über seine Hose geschüttet, als er beim Umblättern auf ein Bild von André Barre stiess.

In der Bildlegende stand zwar der Name Gustave Pierre, aber er war sich sicher, dass es sich um seinen ehemaligen Dienstkollegen und späteren Verräter handelte. Das schmale Gesicht, die tiefliegenden Augen, der stechende Blick.

«Endlich!»

Während der Zeit in Paris war sein Entschluss langsam gereift. Nach seiner Pensionierung wollte er in die Provence ziehen, um Barre zu suchen und mit ihm abzurechnen.

Anfänglich hatte er geglaubt, er fände seine Telefonnummer und könne ihn so aufsuchen.

Er hatte sich die Telefonbücher der südlichen Departemente beschafft und war während fast fünf Jahren an die gefundenen Adressen gefahren. Nach dem hundertsten Misserfolg hatte er resigniert.

Dann war er durch Zufall auf eine verheissungsvolle Spur gestossen.

Bei einem Nachtessen mit Bekannten hatte er wie zufällig die Etikette der auf dem Tisch stehenden Weinflasche studiert, auf der stand, der Wein stamme aus dem Weingut der Familie Bovet-Barre.

Erst jetzt war ihm wieder eingefallen, André habe seinerzeit erzählt, auf einem Weingut aufgewachsen zu sein.

«André Barre? So hiess einer der Brüder meines Grossvaters», bestätigte ihm die Winzerin, die er tags darauf gefunden hatte. «Mein Vater hat mir erzählt, sein Onkel sei nach dem Krieg nicht mehr zurückgekehrt und sei ein paar Jahre später als verschollen erklärt worden.»

Im Dorf sei gemunkelt worden, André Barre habe mit den Nazis kollaboriert und sei wohl entweder von den Alliierten oder von der *Résistance* erschossen worden.

«Dann hat er also seine gerechte Strafe erfahren!»

«Warum? Haben Sie ihn gekannt?»

«Ja, aber jetzt, wo ich weiss, dass er nicht mehr lebt, will ich nicht mehr darüber reden.»

186

Frank las den Bericht in der *La Provence* aufmerksam durch und war über sich selbst erstaunt, wie ruhig er dabei blieb.

Es handelte sich um den Abdruck aus dem *Nice-Matin*.

André Barre, alias Gustave Pierre, war zusammen mit David Rachline, dem rechtsextremen Bürgermeister von Fréjus abgebildet, der ihm zum hundertsten Geburtstag gratulierte.

Damit gab es keinen Zweifel mehr, sie waren beide 1919 geboren.

In der Reportage wurde der Jubilar für seine angeblichen Heldentaten in der *Résistance* beim Widerstand gegen das *Régime de Vichy* und beim Kampf gegen die deutschen Besatzer gelobt.

Entgegen seinen Gewohnheiten war Frank Dreyfus an diesem Morgen noch vor acht Uhr wieder in seiner Wohnung.

Im elektronischen Telefonverzeichnis fand er die Adresse von Gustave Pierre in Fréjus auf Anhieb.

Aus der Kommodenschublade holte er den Revolver, der seiner Mutter nach dem Tod seines Vaters überbracht worden war.

Sorgfältig reinigte er die verstaubte Waffe mit Olivenöl und füllte das Magazin.

Er hatte keine Sekunde gezögert.

Sein Entschluss war klar.

«Du kennst den Schützen, suche keinen andern!», spottete er, als Barre sterbend am Boden lag und ihn erkannt hatte.

Er steckte den Revolver wieder ein, öffnete die Klinge seines Taschenmessers und ritzte seinem Opfer ein Hakenkreuz auf die Stirne.

Dann stieg er über den Sterbenden, nahm das Telefon, das auf der Kommode im Flur stand und rief die Gendarmerie an, um seine Tat zu melden.

47

Toulon, Dezember 2019

Suzanne hatte die letzten Schilderungen von Frank Dreyfus in ihr Tablet getippt und war entschlossen, mit Henri Kontakt aufzunehmen und ihn zu fragen, ob sie ihr freiwilliges Exil nicht gelegentlich verlassen könne.

Gelangweilt sass sie wieder einmal im *Calypso Café* am *Quai Cronstadt* und wie schon früher einmal glaubte sie, Besims vermeintlichen Doppelgänger zu sehen.

Er trug die Lokalzeitung *Var-Matin* in der Hand und kam direkt auf sie zu.

«Hast du die Zeitung schon gelesen?», fragte er freudestrahlend.

«Nein – warum? Gibt es etwas Neues?»

«Die zwei Gauner sind verhaftet worden – sie sind in Untersuchungshaft!»

Suzanne verstand zuerst nicht, um was und wen es ging.

Besim berichtete ihr, Olivier Durand und Laurent Thomas seien in Marseille unter dem Verdacht festgenommen worden, einen Schweizer ermordet zu haben und einer Steuerkarussellbande anzugehören.

Er gab ihr die Zeitung zum Lesen.

In grossen Lettern wurde über den Fall berichtet, der in Marseille wie eine Bombe eingeschlagen habe, weil es sich bei den zwei Verdächtigen O. D. und L. T. um prominente Angehörige der *Gendarmerie Nationale* handle, welche in der High Society verkehrt und die Protektion des Stadtpräsidenten Jean-Claude Gaudin genossen hätten.

Gemäss zuverlässigen Quellen der Redaktion habe ein nicht namentlich bekannter Privatdetektiv einer geschädigten Versicherungsgesellschaft der *Police Nationale* die Informationen zugespielt, die zur Festnahme geführt hätten.

«Dank dir konnten die beiden dingfest gemacht werden», gab er ihr zu verstehen.

«Wie kommst du darauf?»

«Du hast den Kellerraum auf dem *Col de la Gineste* entdeckt. Wir konnten dann die dort gefundenen Zigarettenstummel mit jenen abgleichen, die ich aus dem Aschenbecher in deiner Wohnung sichergestellt habe.»

«Wir?»

«Ja, ich arbeite seit einiger Zeit mit Henri zusammen.
Er hatte mich nach deiner Ankunft in Marseille beauftragt, ein Auge auf dich zu richten.
Mit der gütigen Hilfe von Madame Fortin, der Metzgersfrau, konnte ich dann bei dir als Hilfsarbeiter anheuern.

Bei dieser Gelegenheit war es mir auch möglich, einen Tracker an deinem Auto zu platzieren, so dass wir stets wussten, wo du unterwegs warst.

Ich war dauernd in deiner Nähe – auch auf dem *Col de la Gineste*, wo mich Durand beinahe entdeckt hätte.

Dort habe ich wichtige Spuren gesichert. Neben Fingerabdrücken und den bereits erwähnten Zigarettenstummeln habe ich auch Blutspuren gefunden, die gemäss den in der Zwischenzeit erfolgten Laboruntersuchungen von deinem Vater stammen.»

«Ich war mir vom ersten Moment an sicher, dass es kein Unfall war.»

«Was hat dich so sicher gemacht, von einem Verbrechen auszugehen?»

«Vater hat selten und wenn, dann nur mässig Alkohol getrunken. Der in seinem Blut festgestellte Alkoholgehalt von 2,2 Promille war für mich ein klarer Hinweis. Nie hätte er freiwillig eine solche Unmenge getrunken.»

«Zum Glück bist du hartnäckig geblieben und hast deine Spurensuche nie aufgegeben. Nur dank dir konnten die schmutzigen Geschäfte der beiden Polizisten und der Mord aufgedeckt werden.»

«Was hatten die beiden für ein Motiv, meinen Vater zu töten?»

«Die hatten gar kein Motiv – das war ein unglückliches Missverständnis.»

«Was für ein Missverständnis?»

«Wie du weisst, hat die Frau, die deinem Vater das Haus am *Boulevard de la Grotte Rolland* verkauft hat, die drei Männer, die sie als junge Frau vergewaltigt hatten, auf raffinierte Art und Weise umgebracht.

Carmen-Olga García, wie die alte Frau hiess, hatte ihre Lebensgeschichte zu Papier gebracht und deinen Vater beauftragt, den Text nach ihrem Tod in der Tageszeitung *La Provence* in einem ganzseitigen Inserat zu publizieren.

Diese Publikation erregte vor allem deshalb grosses Aufsehen, weil es sich bei einem der ermordeten Vergewaltiger um Frédéric Hulot, den örtlichen Polizeichef handelte.

Henri wollte die Gunst der Stunde nutzen und liess der Redaktion die Information zukommen, es bestehe der begründete Verdacht, gewisse Angehörige der *Gendarmerie Nationale* seien in die Karussellbetrügereien verwickelt, indem sie gefälschte Steuerbescheinigungen ausstellten.

Aus unerklärlichen Gründen wurde dann in einem Zeitungskommentar suggeriert, dein Vater besässe Hinweise auf die Identitäten der involvierten Polizisten.»

«Was nicht stimmte?»

«Natürlich nicht.»

«Ich verstehe. Durand und Thomas befürchteten, Vater werde sein angebliches Wissen preisgeben. Darum musste er verschwinden.»

«Genau. Sie sind dann bei deinem Vater eingebrochen und als sie nichts fanden, haben sie ihn entführt und schliesslich ermordet.»

«Und der Alkohol?»

«Wahrscheinlich zwangen sie ihn zum Trinken, um an die Dokumente zu kommen, die es in Wirklichkeit gar nicht gab.»

«Noch eine Frage. Wie kommt Henri dazu, dich zu engagieren?»

«Ich habe an der *Ecole Supérieure des Agents de Recherches Privées ESARP* eine vom Staat anerkannte Ausbildung absolviert und besitze ein entsprechendes Diplom.»

«Gehörte es auch zu deinem Auftrag, mit mir ins Bett zu gehen?»

«Das darfst du nicht glauben – ich habe mich ganz einfach in dich verliebt und liebe dich immer noch!»

Epilog

Das Manuskript für diesen Roman ist während der Corona-Krise im Frühjahr 2020 entstanden.

Die ersten Informationen über die Epidemie in China waren in Europa von Politik und Bevölkerung kaum ernst genommen worden.

Als die chinesische Regierung die Achtmillionenstadt Wuhan, die Hauptstadt der Provinz Hubei, hermetisch abriegelte, wurde das als typische Überreaktion eines totalitären Staates belächelt.

Warnungen vereinzelter Epidemiologen wurden als Angstmacherei und Schwarzmalerei in den Wind geschlagen.

Erst als auch bei uns die ersten Ansteckungen mit dem neuen Virus SARS-CoV-2 bekannt wurden und der erste COVID-19-Patient in der Intensivstation landete, wuchs die Sensibilität für die Pandemie.

In einem ersten Schritt wurden vom Bundesrat Grossveranstaltungen mit mehr als 1000 Personen verboten sowie verschiedene Verhaltensratschläge erteilt.

Dann folgte der sogenannte Lockdown mit der Schliessung von Schulen, Geschäften und Restaurants.

Dem Team Alain Berset/Daniel Koch gelang es erstaunlicherweise, bei einer überwiegenden Mehrheit der Bevölkerung Akzeptanz für die einschränkenden Massnahmen zu gewinnen.

Am 15. März, zwei Tage bevor auch in Frankreich der Lockdown mit einer strengen Ausgangssperre in Kraft trat, fanden in den 34 968 französischen Gemeinden Wahlen statt.

Das Wahlergebnis in Marseille war eine mittlere Sensation. Die favorisierte Kandidatin der rechtsbürgerlichen Partei *Les Républicains,* Martine Vassal, designierte Nachfolgerin des langjährigen Stadtpräsidenten Jean-Claude Gaudin, stand am Wahlabend als Verliererin da.

Das beste Resultat erreichte das linke Wahlbündnis *Printemps Marsaillais,* mit Michèle Rubirola als Spitzenkandidatin, der im Vorfeld höchstens ein Achtungserfolg zugetraut worden war. Mit einem Stimmenanteil von 23,44 Prozent distanzierte sie Vassal um mehr als einen Prozentpunkt.

Auf dem für das rechtsextreme *Rassemblement National* enttäuschenden dritten Platz landete Stéphane Ravier, der als Vertrauter von Parteipräsidentin Marine Le Pen gilt.

Der ursprünglich auf den 22. März angesetzte zweite Wahlgang wurde wegen der Corona-Pandemie auf den 28. Juni verschoben. *Printemps Marsaillais* konnte dabei den Vorsprung deutlich ausbauen.

Am 4. Juli traten die 101 Mitglieder des neuen *Conseil municipal* zur Wahl des Stadtoberhauptes zusammen. Nach zähen Verhandlungen erreichte Michèle Rubirola im zweiten Wahlgang mit 51 Stimmen exakt das absolute Mehr. Damit wird die zweitgrösste Stadt Frankreichs erstmals von einer Frau präsidiert.

Wegen des Coronavirus musste auch die am 11. April geplante Gedenkveranstaltung zum 75. Jahrestag der Befreiung des Konzentrationslagers Buchenwald abgesagt werden.

Die meisten der 42 Überlebenden aus 14 Ländern, die ursprünglich an den Feierlichkeiten teilnehmen wollten, hatten sich aus Angst vor einer Ansteckung bereits abgemeldet, bevor der Anlass abgeblasen worden war.

Nachdem die Staatspolitische Kommission des Nationalrates (SPK) bereits im August 2019 einer parlamentarischen Initiative zugestimmt hatte, welche eine gesetzliche Grundlage für die Überprüfung von Mobiltelefonen von Asylsuchenden verlangte, hat sich im Juni 2020 auch die SPK des Ständerates dieser Forderung angeschlossen. Damit erhielt die Schwesterkommission des Nationalrates grünes Licht für die Ausarbeitung einer entsprechenden Vorlage.

Die Kommissionsmehrheit wies dabei darauf hin, dass dieses Mittel zur Identitätsfeststellung in anderen Staaten wie zum Beispiel Deutschland erfolgreich praktiziert werde. Sie sah deshalb keinen Grund, warum diese Methode nicht auch in der Schweiz angewendet werden soll und gab sich überzeugt, wenn der Staat die Identität Asylsuchender sorgfältig abkläre, könne auch das Vertrauen der Bevölkerung in das Asylverfahren gestärkt werden.

Die Kommissionsminderheit lehnte die vorgesehene Änderung des Asylgesetzes als einen schweren Eingriff in das Grundrecht auf Schutz der Privatsphäre ab.

Falls das Parlament zu gegebener Zeit der Vorlage zustimmt, ist es nicht ausgeschlossen, dass nach einem allfälligen Referendum das Volk das letzte Wort haben wird.

Wegen der Pandemie kam auch das Prestigeprojekt von Präsident Emmanuel Macron ins Stocken.

Die Regierung zog die Gesetzesvorlage für die umstrittene Rentenreform zur Überarbeitung zurück, wobei unklar blieb, ob und in welcher Form das Geschäft wieder auf der Tagesordnung erscheinen wird.

Was die mächtigen Gewerkschaften mit wochenlangem Streiken nicht erreichten, könnte vielleicht einem kleinen Virus gelingen ...

***

Tote verdienen Ruhe

© 2016 Roland Seiler
ISBN 978-3-7431-1405-0

Der verwitwete Beamte Robert Schneider wird Opfer des Stellenabbaus. Hals über Kopf folgt er einer jungen Frau in die Provence, wo er mit mysteriösen Todesfällen konfrontiert und von seiner eigenen Vergangenheit eingeholt wird.

Die Geheimnisse der Anna Seiler

© 2017 Roland Seiler
ISBN 978-3-7431-0199-9

Schneider will mehr über das Leben von Anna Seiler, der Begründerin des Inselspitals erfahren. Dabei stösst er auf pikante, bisher geheim gehaltene Informationen. Mit kriminellen Mitteln wird versucht, seine Recherchen zu vereiteln.

Endstation Marseille

© 2019 Roland Seiler
ISBN 978-3-7528-2984-6

Schneider stösst auf das Schicksal einer Frau, die mehrere Jahre im südfranzösischen Internierungslager Rivesaltes verbracht hat und später Schritt für Schritt auf raffinierte Art und Weise mit ihren seinerzeitigen Peinigern abrechnet.

Bellevue

© 2019 Elgg-Verlag Belp

In der vom Lädelisterben betroffenen Gemeinde ist das Projekt für die Wohnüberbauung «Bellevue» umstritten. Wie werden die Stimmbürger*innen an der Gemeindeversammlung entscheiden und wie geht die Bevölkerung mit dem syrischen Asylbewerber Ulvi Hadschi um?